Gente que mora dentro da gente

Gente que mora dentro da gente

TEXTO E ILUSTRAÇÕES
Patricia Gebrim

Editora
Pensamento
SÃO PAULO

Copyright © 2004 Patricia Gebrim.
Copyright © 2005 da Editora Pensamento-Cultrix Ltda.
1ª edição 2005 – catalogação na fonte 2004.
11ª reimpressão 2024.

Todos os direitos reservados. Nenhuma parte deste livro pode ser reproduzida ou usada de qualquer forma ou por qualquer meio, eletrônico ou mecânico, inclusive fotocópias, gravações ou sistema de armazenamento em banco de dados, sem permissão por escrito, exceto nos casos de trechos curtos citados em resenhas críticas ou artigos de revistas.

Dados Internacionais de Catalogação na Publicação (CIP)
(Câmara Brasileira do Livro, SP, Brasil)

Gebrim, Patricia
　　Gente que mora dentro da gente / Patricia Gebrim. – São Paulo : Pensamento, 2004.

　　ISBN 978-85-315-1381-7

　　1. Desenvolvimento pessoal 2. O Eu 3. Psicologia I. Título.

04-8019　　　　　　　　　　　　　　　　　　　　　　　　　　CDD-158.1

Índices para catálogo sistemático:
　　1. Desenvolvimento pessoal : Psicologia aplicada   158.1

Direitos reservados
EDITORA PENSAMENTO-CULTRIX LTDA.
Rua Dr. Mário Vicente, 368 – 04270-000 – São Paulo, SP
Fone: (11) 2066-9000
http://www.editorapensamento.com.br
E-mail: atendimento@editorapensamento.com.br
Foi feito o depósito legal.

Agradecimentos

Agradeço, profundamente, aos ensinamentos do Pathwork, pelas transformações que trouxeram à minha vida, e por terem me inspirado a escrever este livro.

Um obrigada cheio de amor a Reginaldo, meu marido, por acolher com tanto carinho minha criança, por acreditar tanto em mim e pela divertida ajuda que prestou como fotógrafo!

Agradeço a todas as pessoas cuja presença em minha vida tem me ajudado a acreditar que eu posso ser simplesmente quem sou e escrever com essa mesma simplicidade: Minha Família, meus Amigos (tantos e queridos!), Clientes do consultório, Colegas de profissão, Professores e Mestres... impossível nomear todos vocês. OBRIGADA POR ESTAREM COMIGO!

Eryich, obrigada por me fazer tantas perguntas! Elas me fazem olhar mais de perto para a vida.

Um agradecimento muito especial a Carla Colombo Ribeiro e Joyce Mobley, amigas de alma que sempre me ajudam a lembrar quem sou, quando às vezes esqueço.

Minha gratidão a Ricardo, meu editor, e a todos vocês da Editora Pensamento, pelo carinho com o qual participaram da criação deste livro.

E a Vita, Frida e Sky... agradeço por me fazerem rir todos os dias!

Sumário

AGRADECIMENTOS 6

INTRODUÇÃO. 8

JOGO DA VIDA 12

EU CRIANÇA. 18

EU INFERIOR. 38

EU MASCARADO. 55

EU SUPERIOR. 68

EU OBSERVADOR. 111

UM PEQUENO RESUMO. 125

SESSÃO PIPOCA. 136

PRÁTICA DA ESPIRAL LUMINOSA 140

Introdução

Se você me perguntasse, neste exato momento, como eu estou me sentindo, provavelmente minha resposta seria:

– "EU" Quem?

Tem um "Eu" em mim que está feliz porque, finalmente, estou escrevendo as primeiras palavras deste livro, no qual tenho pensado todas as noites antes de dormir. Esse "Eu" vibra a cada letra que vai surgindo e confia que o livro surgirá na medida em que continuarmos escrevendo juntos. Ele me ajuda, me incentiva, me ilumina, me acalma, me protege, me inspira. Gosta de mim.

Mas, bem ao nosso lado, agachadinho e tentando se esconder, encontro dentro de mim um outro "Eu" que parece se divertir imensamente em provocar uma agitação no meu estômago. Ele fica me dizendo que está com medo de não ser capaz de escrever mais um livro e já me pediu várias vezes para ir com ele até a geladeira, só para tentar me arrastar para longe do computador. Ansioso, medroso e cheio de vontades, neste exato momento está agarrado na manga do meu casaco (parece um polvo com 80 tentáculos!), tentando me fazer parar de escrever.

Se você acha que a coisa pára por aí, sinto dizer-lhe que você está errado. Aliás, "errado" é uma das palavras preferidas desse outro "Eu". De óculos, metido a sabe-tudo, essa outra parte de mim fica me criticando o tempo todo. Critica cada palavra, cada espaço, cada frase (ele é terriiiiiivel!). Fica me dizendo que nunca serei capaz de escrever com perfeição e que deveria parar enquanto é tempo, antes de me "expor ao ridículo" (palavras dele!). Mal posso dizer o quanto esse "eu" está indignado ao ver que escrevo a seu respeito. Ele é perfeccionista, exato, controlador, metódico e quer sempre passar a melhor imagem de si mesmo para o mundo. Quer ser amado, admirado e respeitado por todas as pessoas. ("Algumas" pessoas não bastam, tem que ser TODAS AS PESSOAS!)

Quer mais? Então prepare-se! (Vou falar bem baixinho para ele não ouvir, mas tem um outro "Eu" rosnando bem atrás de mim!) Às vezes ele rosna tanto que chega a babar nos meus sapatos. Já tive que jogar três pares fora por sua causa! Carrega na face um sorrisinho maldoso e fica dizendo, com um tanto de ironia: – "Vá... continue escrevendo... vou me divertir muito em ver você ter tanto trabalho para nada... E sabe o que mais? Vou estragar seu livro! Vou babar nele todinho... ou melhor... vou deixá-la chegar quase no final e então vou apertar esse botãozinho e apagar tudo do computador! E sabe por quê? Porque você não merece escrever um livro! Não merece nada! EU NAO GOSTO DE VOCE, E NEM DE NINGUEM!"

Uau...

Tem mais. Tem um último "Eu", este que está escrevendo agora. Este que é capaz de enxergar todos os outros, este que é corajoso o suficiente para seguir escrevendo através dessa confusão de vozes que muitas vezes gritam umas com as outras dentro de mim.
Este que é capaz de dizer que, neste exato momento, estou me sentindo alegre, confiante, com medo, com vontade de desistir, ansiosa, irritada e extremamente feliz!

TUDO AO MESMO TEMPO!

Deu para perceber como será este livro? Vai ser muito mais divertido se eu tiver você a meu lado nas próximas páginas.

Aliás, "você" não...

...Vocês.

"Todos OS SEUS EUS" estão convidados, ok?

(Afinal, não quero confusão, nem que decidam babar nas páginas do livro!)

ESTAMOS AQUI PARA ACERTAR OU PARA BRINCAR?

Se você prestar atenção vai perceber que, desde que nascemos, somos estimulados a viver como se a vida fosse uma espécie de vestibular. Vivemos como se precisássemos acertar sempre, para garantir um diploma com o carimbo "aprovados" quando chegarmos ao final.

MAS SERÁ QUE PRECISA SER ASSIM?

E se a vida for um grande jogo cósmico, montado para que possamos aprender coisas novas enquanto nos divertimos?

E se cada situação vivida for uma oportunidade de aumentar nossa sabedoria?

E se não estivermos aqui para acertar tudo, e sim para fazer experiências e aprender com elas?

E se a peça principal desse jogo for a nossa capacidade de fazer escolhas?

PENSE NAS SUAS ESCOLHAS!

A vida que você vive é resultado das escolhas que você faz. As regras são mais ou menos assim: você escolhe e a vida responde. É um jogo onde você aprende com TUDO o que lhe acontece, logo, não há motivos para julgar, muito menos condenar a si mesmo.

Agora, preste atenção! Se você estiver vivendo situações difíceis neste momento, entenda: "A vida não está contra você!" Você não está sendo punido ou castigado. Talvez essa seja sua chance de aprender que suas escolhas não têm lhe trazido felicidade. Talvez você esteja aprendendo a descobrir aquilo que não quer mais escolher!

TUDO PODE MUDAR
SE VOCÊ ESCOLHER UM CAMINHO DIFERENTE

SEMPRE!

(ANOTOU?)

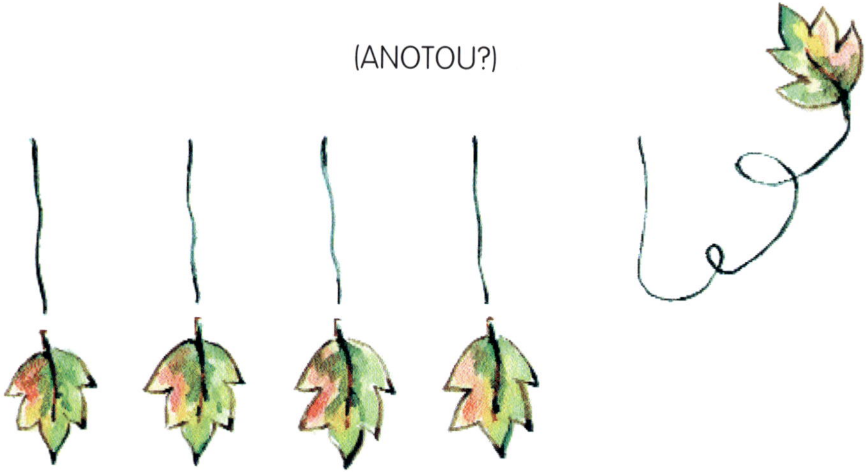

Acredite, sempre podemos aprender a viver melhor, a fazer escolhas que nos tragam mais alegria, felicidade, amor e prazer. É quando a vida se torna mesmo divertida.

A VIDA FOI CRIADA PARA SER DIVERTIDA!

VOCÊ TEM SE DIVERTIDO NA VIDA?

NÃÃÃÃÃÃÃO?

Se você quer mais leveza na sua vida, vai precisar aprender a aprimorar sua técnica de fazer escolhas.

QUANDO NOS CONHECEMOS MELHOR, VIVEMOS MELHOR!

O fato de conhecermos muito pouco do que se passa dentro de nós é o que nos leva a fazer escolhas inconscientes, que acabam atraindo em nossa direção uma vida tão confusa quanto o nosso interior.

Se você prestar atenção, vai perceber que muitas vezes nem sabe do que gosta, ou o que quer. Muitas vezes escolhe sem se dar conta do que está escolhendo, e acaba fazendo coisas que não queria de fato fazer.

Ora, se VOCÊ não queria mas acabou escolhendo, QUEM decidiu, então?

A explicação é que, se existisse um único "Eu" dentro de você, isso não aconteceria. Você sempre saberia o que fazer, para onde ir e o que dizer.

MAS...
TEM UM MONTE DE GENTE MORANDO DENTRO DE VOCÊ!

Imagine agora que existam muitos "EUS", todos eles morando nesse mesmo espaço, aí dentro de você, agora mesmo.

E mais! Imagine que esses "Eus" não conheçam uns aos outros, que tenham opiniões diferentes sobre suas escolhas de vida e que cada um queira determinar o caminho que você deve tomar.

Dá para imaginar a confusão?

S-O-C-O-R-R-O!

A boa notícia (sempre tem uma boa notícia!) é que não precisa ser assim. Se você for capaz de reconhecê-los e souber como se comunicar com cada um deles, se ajudá-los a perceber as outras partes de você, então poderá fazer escolhas mais conscientes.

Acho que deu para perceber que o primeiro passo para uma vida mais feliz é conhecer "toda essa gente que mora dentro de você".

Que tal arregaçar as mangas e começar já?

EU CRIANÇA

Entre tantos Eus, decidi começar pela Criança, por esse "Eu" que é curioso, aventureiro, aberto para o novo, movido pelo humor, pela alegria e pelo prazer.

(Aliás, eu "tive" que começar por ela. Duvido que ela me deixaria em paz se eu começasse por outro alguém!)

Há quanto tempo você não pára um pouco para conversar com a sua criança, essa que mora aí dentro de você? Quando foi seu último ataque de riso, daqueles que fazem os seus maxilares chegarem a doer? Quando foi a última vez em que você se sentiu leve, como se fosse feito de penas? Quando deixou seus sentimentos fluírem, soltos, sem explicações, teorias ou trancas?

O Eu Criança é a parte em você que acredita nas pessoas, é a sua inocência, a sua capacidade de confiar, o seu profundo desejo de se entregar à vida como se esta fosse uma brincadeira das mais divertidas. A criança em você é a sua espontaneidade, a sua abertura, a sua criatividade. É o Eu em você que, mais do que qualquer outro, é capaz de sonhar.

Se pudéssemos lembrar... Você se lembra da primeira vez em que viu o mar? Da delicadeza da folha se soltando da árvore naquela tarde de outono? Do sabor de seu primeiro bolo de chocolate (humm...)? Da emoção da primeira tempestade? Do aconchego do colo que o envolveu naquele dia em que você caiu e ralou seus joelhos na aspereza da terra?

Tudo era tão único, tão especial!

Enquanto escrevo, lembro-me da criança que fui um dia. Estranho... Naquele tempo já era eu lá dentro dela. Ou será que ainda é ela dentro de mim?

Eu me lembro que queria "tanto" que o mundo fosse um lugar melhor! Lembro de que podia ficar horas agachadinha num jardim, seguindo uma fileira de formigas e imaginando o que elas tanto faziam lá dentro do formigueiro. Eu costumava jogar migalhas de pão para vê-las carregando, e traçava círculos de água ao seu redor, para ver se conseguiam sair de dentro deles.

Quando me cansava das formigas, partia em busca de um trevo de quatro folhas, certa de que um dia encontraria um. Ainda me lembro do medo que eu tinha do diabo, com seus chifres e rabo pontudo. Lembro-me dos círculos de giz que desenhava no jardim para me comunicar com os ETs (nunca responderam!). E do livro da Cinderela que eu colocava embaixo do travesseiro antes de dormir. (Quem sabe assim, ao acordar, descobriria que uma fada madrinha tinha me transformado em uma princesa tão linda quanto ela.)

O mundo era mágico para mim. O vento tinha voz, a chuva me encantava e o Puppy (meu cachorrinho) conversava comigo todas as noites. Bem... não era propriamente uma conversa! Na verdade eu perguntava a ele todas as coisas que queria saber sobre a vida, as pessoas, os cães, as formigas e tantas outras coisas; como se ele pudesse um dia responder.

A MINHA CRIANÇA É CRIATIVA, CURIOSA, COMILONA, BRINCALHONA, CIUMENTA, SONHADORA, GENEROSA, MANDONA, TEIMOSA, TÍMIDA, AMOROSA, MEDROSA, CHEIA DE PINTINHAS NA CARA E DE SONHOS NO ♥!

E A SUA?

Tudo isso tinha um sentido que escapava ao entendimento dos adultos. Agora mesmo sinto essa menina se aninhar no meu colo, enquanto escrevo, e me sinto feliz por tê-la tão pertinho de mim.

Eu cresci, mas continuo "perguntadeira". Hoje, já adulta, percebo que existem ainda muitas perguntas não respondidas dentro de mim:

– Se a criança é assim, tão bonita, por que vamos deixando de ser crianças à medida que o tempo passa?

– Por que vamos ficando sérios e as coisas vão se tornando tão comuns?

– Por que a magia vai embora? Por que os dragões do céu viram simplesmente nuvens e as estrelas perdem a voz e já não falam conosco quando vamos dormir?

POR QUE ABANDONAMOS E REJEITAMOS NOSSA CRIANÇA?

Em um grau maior ou menor, todos nós abandonamos nossa criança mas, acredite, sempre chega um momento da vida em que percebemos que já não podemos seguir sem ela.

Pense na sua criança interna como uma estrelinha luminosa vinda do coração do Universo, disposta a viver o melhor de tudo, disposta a descobrir muitas coisas novas e a brincar muito. Para ela, nada parecia impossível e em sua bagagem existiam muitos e muitos sonhos sobre como tornar tudo mais belo, mais sábio, mais amoroso e muito, mas MUITO mais divertido!

É verdade também que ela não sabia muito bem o que encontraria por aqui, ou melhor, sabia na teoria, mas não tinha prática alguma sobre as coisas deste mundo feito de matéria.

É difícil, para uma estrela acostumada a voar na velocidade da luz, ter que aprender a andar. Neste planeta os sonhos podem, sim, se tornar realidade, mas não na velocidade das estrelas. Por aqui, às vezes as coisas são meio leeeeeeeeeentas...

Além disso, o planeta não é tão confortável como era o céu, com seu espaço infinito para todos os rodopios e brincadeiras de que as estrelas tanto gostam. Este planeta se parece mais com uma cabaninha um tanto desconfortável. Por aqui existem arestas, muitas coisas quebradas, muita gente brava, muito medo... (você sabe!)

Bem, o que aconteceu foi que a Criança–Estrela–Que–Mora–Em–Seu–Coração começou a ficar impaciente. Como qualquer criança, ela queria que tudo fosse do seu jeito e que as coisas acontecessem na hora em que quisesse. Como qualquer criança, essa criança-estrela não sabia esperar, era ansiosa, teimosa e um tanto explosiva. Não estava acostumada com este lugar e às vezes se sentia só, longe das outras estrelas, o que fez com que se sentisse também insegura, ciumenta, medrosa e até briguenta.

Um dia você foi uma criança mais ou menos assim, lembra?

Mas quando todos esses sentimentos começaram a aparecer, as pessoas começaram a torcer o nariz, porque as pessoas grandes que abandonaram suas crianças sempre dizem que as outras crianças são mal-educadas.

E então, um dia, até mesmo VOCÊ começou a abandonar sua criança interior. Devagarzinho, sem perceber.

Talvez você tenha achado que ela só lhe traria problemas, ou que afastaria você das outras pessoas. Não importa. O que importa é que você decidiu seguir sem ela.

A CRIANÇA SE FOI
OUÇA... QUE SILÊNCIO!

Longe da sua criança, de repente parece que tudo ficou em ordem, mais tranqüilo. Você já não era atormentado por aquela avalanche de emoções malucas o tempo todo.

Isso pode ter parecido ser bom, e por alguns momentos talvez até tenha sido. Mas logo você se deu conta de que o mundo já não parecia tão mágico quanto antes.

QUE TÉDIO!

O tédio é um sujeito tão metido a besta que se engasga com seus próprios pensamentos.
(você já se sentiu entediado alguma vez?)

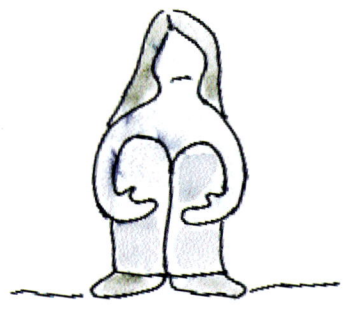

Ei! E A CRIANÇA?
O QUE ACONTECEU COM ELA?

A criança continuou lá dentro de você, sentadinha, esperando uma chance de sair, esperando que você viesse buscá-la para passear. Ela esperou, esperou, esperou...

Mas às vezes demoramos demais!

Você já experimentou deixar uma criança sozinha por um bom tempo? Se fez isso sabe que elas não ficam exatamente quietinhas, sem fazer nada, pacientemente esperando sua volta.

Aposto que sua criança não ficou lá, dentro de você, simplesmente contando as batidas do seu coração para fazer o tempo passar. Criança que é criança não se contenta em ficar tanto tempo sozinha sem "aprontar" alguma coisa! Pode ter certeza de que ela deu um jeito de se vingar – secretamente, é claro! – por sua falta de atenção.

Logo, se você esqueceu sua criança por muito tempo, não pense que vai encontrar sorrisos e beijinhos quando finalmente decidir resgatá-la. Talvez ela esteja brava. MUITO BRAVA.

MUITO BRAVA MESMO!

"Quer dizer que a criança dentro de nós não é só aquela coisinha meiga, fofa, pura, de olhos brilhantes, cheios de amor?"

EXATAMENTE!

A criança abandonada é uma outra faceta de seu Eu criança, e é ela quem se vinga, quem cria confusões em sua vida, quem coloca você em situações com as quais você jamais imaginou ter que lidar. E faz isso bem escondidinha, sem você perceber (afinal, ela tinha que fazer algo para se divertir!).

O QUE SUA CRIANÇA ANDA APRONTANDO?

É isso. Não escapamos ilesos.
Se não aprendermos a cuidar e libertar a criança que mora em nós, ela vai transformar nossa vida em uma grande confusão, pode acreditar.

RESGATANDO A CRIANÇA.

DO QUE ELA REALMENTE PRECISA?

Crianças precisam, antes de mais nada, de um adulto que as proteja e ajude a lidar com a vida.

Inquestionável: Precisam de Amor!

Precisam de segurança, calor, uma boa nutrição, atenção, estímulos para crescer, companhia, carinho, brincadeiras, limites... e por aí vai.

Se você não puder dar o que a criança precisa, ela vai sentir como se tivesse um buraco dentro dela, e vai tentar obter isso de alguma outra maneira.

Funciona assim... a criança tem uma necessidade real de algo, certo? – QUERO AMOR!!! – e ela grita bem alto.

Mas como você a abandonou, você não percebe essa necessidade e a criança se sente rejeitada. No peito dela fica um vazio que dói e incomoda. Ela não quer ficar sentindo essa coisa ruim, então procura alguma coisa para tapar esse buraco. Pode ser uma caixa de bombons, uma garrafa de vinho, uma noite inteirinha trabalhando sem parar nem para dormir, pode ser qualquer coisa.

Problema resolvido?
O vazio se foi?

É claro que não. Porque na verdade o que ela queria não era comer, beber, trabalhar ou fazer nada disso. Ela queria se sentir amada, lembra? O vazio continua lá, e logo começa a incomodar de novo. E lá vai ela, outra vez, tentar preenchê-lo e dessa maneira se torna dependente dessas coisas que, momentaneamente, a fazem sentir-se bem, mas que nunca poderão suprir suas reais necessidades.

Percebe? Assim se formam os vícios.

Pare e pense um pouco nas necessidades da sua criança. Do que ela mais precisa neste momento? Pode ser que esteja precisando brincar mais, ou de mais espaço para se comunicar com você (você deixa que ela expresse seus sentimentos?). Pode estar precisando de um colo, que você converse com ela, e até mesmo que você a ajude a aprender que os nãos fazem parte da vida neste planeta.

Às vezes o que nossa criança interna mais precisa é de LIMITES!

QUE TAL DAR UM COLINHO PARA A SUA CRIANÇA?

Experimente... lembre-se de como você era, como se sentia, o que fazia, quais eram as coisas importantes para você. Feche os olhos um instantinho... veja em sua mente o rosto de sua criança, sinta suas mãozinhas abraçando seu pescoço, puxe-a para pertinho, dê-lhe um abraço. Sussurre nos seus ouvidos: "Eu gosto tanto de você!"

Você consegue sentir amor por essa criança? Consegue se dar conta do quanto ela era (e é) única e especial e do quanto precisava (e precisa!) de você?

SUA CRIANÇA É...

COLE AQUI UMA FOTO DA SUA CRIANÇA

Você gostaria de se aproximar um pouco mais? Então vá em frente e escreva um bilhete amoroso para a sua criança, aquela do passado... lá atrás! Escreva algo que seja muito importante para ela, algo que um dia ela precisou e teria adorado ouvir. (Tenho certeza de que você saberá o que escrever!)

Querida (o) _____,

Escreveu? Então sopre três vezes sobre o papel para que sua mensagem viaje pelo tempo e chegue à sua criança, lá atrás...

COMO SER UMA BOA MAE E UM BOM PAI PARA SUA CRIANÇA:

Para cuidar de sua criança, para suprir suas necessidades, para ajudá-la a crescer, você vai precisar entender uma coisa:
Amar e acolher uma criança não significa deixar que ela faça tudo o que quer! (vale para qualquer criança!)

Você vai ter que aprender a diferenciar as COISAS DE ADULTO das COISAS DE CRIANÇA.

Ou seja, ela pode ir ao cinema com você e escolher o filme que vocês irão assistir. Você pode deixá-la levar você para passear, e aprender com ela a ser mais leve, a rir, a errar sem transformar isso em um drama. A criança é quem pode nos ensinar a cair e a levantar quantas vezes forem necessárias.

Mas quando se tratar de COISAS DE GENTE GRANDE, você precisará dizer à sua criança: – Isso é coisa de adulto. Você pode vir comigo, mas agora Eu (adulto) decido, tá?
Se você deixar sua criança decidir as coisas de adulto de sua vida, prepare-se para um VERDADEIRO CAOS.

Você não acredita em mim? Então faça a experiência! Experimente deixar sua criança escolher no que gastar seu dinheiro! Ou então deixe-a decidir o que você vai comer no jantar, ou o horário em que você vai acordar. Um aviso: depois não venha me culpar se tiver o limite de seu cartão de crédito estourado por ter comprado um monte de bobagens, nem se tiver uma dor de barriga de tanto comer chocolates ou se perder a hora do trabalho por ter acordado só ao meio-dia e passado o resto do dia sentado em frente à TV!

Na medida em que você ajudar sua criança a entender o mundo, cuidando dela com amor e proteção, uma coisa fantástica acontecerá. Ela começará a confiar em você, e com isso diminuirá suas exigências. Você, por outro lado, se sentirá, finalmente, confiante e capaz.

Aos poucos o cinza vai começar a ganhar cores e, quando você menos esperar, tudo ao seu redor estará brilhando como você nunca tinha visto antes.

Mas, por hora, chega de brincar com a criança!

Um desafio nos aguarda. Você está ouvindo um rosnado? Então prepare-se e só vire a página quando estiver pronto para enfrentar o ...

EU INFERIOR

Para apresentar a você esse Eu, vou ter que lembrá-lo daquela estrelinha que veio para o planeta louca por aventuras. Lembra?

Pois bem, imagine que antes de vir para cá, ainda lá no céu, ela tenha feito um trato com seu pai, o Sol. E o trato era mais ou menos assim: ela ganharia uma passagem de vinda para a Terra, e em troca ajudaria a curar um pouquinho o planeta. Não parecia demais; afinal, ela iria se divertir de montão, e ainda teria a oportunidade de sentir o aroma das flores, brincar numa cachoeira, ver o mais lindo pôr-do-sol e muito mais! Uma viagem e tanto, com direito a aprender um monte de coisas diferentes.

O preço parecia justo.

Depois que tudo ficou acertado, a estrelinha, feita da mais pura luz, mergulhou em direção à Terra e chegou ao setor de recepção do planeta para conseguir um corpo no qual pudesse se aninhar. Tinha que ser um corpo de carne e osso, feito com a mesma matéria do planeta.

A chegada da estrelinha foi mais ou menos assim:

Estrela: "Acabei de chegar ao planeta e preciso de um corpo onde eu possa me aninhar."

Guardião da Terra: "Seja Bem-Vinda! Você sabe que precisará dar uma mãozinha na cura do planeta enquanto estiver por aqui, não sabe?"

Estrela: "Sei, sim. Pensei que eu poderia me responsabilizar por um pouco de inveja... hã... e talvez um pouco de tristeza também."

Guardião da Terra: "Que bom... Será que você daria conta de um pouquinho de ódio? Tem tanto ódio por aqui... ia ser ótimo se você nos ajudasse a transformar um pouco em amor!"

Estrela: "Acho que dou conta sim. Me dá também um pouco de medo, ok? Mas só um pouquinho."

Aí o Guardião da Terra separou uns vidrinhos com tudo o que a estrela tinha pedido, misturou com um pouco da terra do planeta, moldou bem e colocou a estrelinha lá dentro. Depois cuidou para que esse molde fosse encaminhado para a família mais adequada, uma família que ajudaria a estrela a cumprir o que tinha prometido fazer durante sua estadia por aqui.

"Boa Sorte, Estrela!"

Assim nascemos, poeira de estrelas disfarçada de gente, andando por aí. Tudo ia muito bem, até que, em determinado momento de nossas vidas, ainda na infância, todos aqueles sentimentos que o Guardião da Terra tinha misturado no nosso corpo começam a acordar. E a sombra que mora no planeta começa a vir à tona através de nós.

Inveja, tristeza, ódio, medo...

Só para esclarecer, esse Eu, essa mistura de terra com todos aqueles sentimentos que precisamos curar, é o que estou chamando de EU INFERIOR, ok?

Todos nós temos um Eu Inferior. Relaxe, você não é o único!

Muitas pessoas se sentem culpadas por terem um Eu tão feio assim, que rosna e baba nas pessoas, isso sem falar nas mordidas que distribuímos por aí! Mas não há motivos para você se sentir mal por ter um Eu Inferior.

Sempre que você der de cara com o bicho feio que mora em você, lembre-se: esta é a sua chance de curá-lo, e ao fazer isso você estará ajudando a purificar um pouco o planeta, E FOI ISSO O QUE VOCÊ VEIO FAZER AQUI.

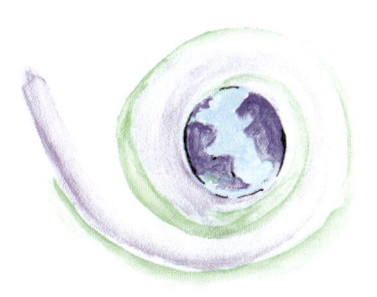

Toda vez que conseguir se lembrar da sua luz, toda vez que conseguir transformar esses sentimentos negativos em algo melhor, cada vez que reciclar um pouquinho desse lixo que está dentro de você (e de todos nós), estará participando ativamente da cura da Terra.

Estamos de acordo?

Eu disse que a vida deveria ser divertida. E deve!
Mas nós não estamos aqui só para passear. Temos um trabalho a fazer!
Acho que você já entendeu a idéia geral.

Ou seja, se você é daquelas pessoas que querem transformar o mundo, não é preciso sair por aí procurando nada para transformar. Basta olhar para dentro de você e saberá por onde começar.

Pense no seu Eu Inferior... em todas aquelas coisas que você sente e que não gostaria de sentir. Pense na sua capacidade para odiar, invejar, agredir. Pense naquela vontadezinha de se vingar, ou naqueles momentos silenciosos em que você agradece por ninguém saber ler seus horríveis pensamentos.
Pensar nisso dá um certo incômodo, não dá?

– Ia ser muito melhor se a gente não tivesse nada disso dentro da gente – você pode estar pensando. – Será que não podemos simplesmente assassinar o Eu Inferior e pronto?

Que ele não nos ouça!!!

NÃO! Não podemos destruir o Eu Inferior, porque ele é uma parte de nós. Seria como se matássemos a nós mesmos.

Então... o que fazer?

O Eu Inferior precisa ser transformado, e para transformá-lo precisamos primeiro aceitá-lo. Seu primeiro desafio é aceitar que isso tudo também faz parte de você. Goste ou não, estas são as regras deste planeta:

SOMOS

AO MESMO TEMPO

Luz e sombra

Claro e escuro

Amor e ódio

Generosidade e avareza

Coragem e medo

Somos, AO MESMO TEMPO, uma luminosa e meiga estrelinha cravada no coração de um monstro medonho e assustador, que acredita que precisa devorar pessoas para sobreviver.

Um desafio e tanto!

Se não dá para matar o monstro, como sair por aí sem destruir o que cruzar nosso caminho?

Muitas pessoas se assustam com a cara feia de seu Eu Inferior e, já que não podem acabar com ele, resolvem deixá-lo bem trancado na escuridão de uma caverna, fazendo de conta que a aparição do monstro não passou de um fruto da sua própria imaginação. Agem como se nunca sentissem raiva, tristeza, inveja ou esses sentimentos negativos que fazem parte de todos nós.

Mas o que acontece é que preso, o monstro fica ainda mais bravo.

A idéia inicial era domesticarmos o monstro para ajudar o planeta. Ao escondê-lo, deixamos de fazer o que tínhamos combinado, e isso atrasa nossa própria evolução.

Não nos resta outra opção, senão aceitar os sentimentos sombrios que se movem furtivamente dentro de nós. Aceitar que ainda não somos tão perfeitos quanto gostaríamos. Aceitar que às vezes babamos e nos arrastamos pela vida, mais parecidos com um Tiranossauro Rex enlouquecido do que com o ser luminoso e alado que gostaríamos de ser.

SOMOS "MONSTRANJOS"!

Se trancamos nossa sombra em uma caverna, ela se torna ainda mais sombria. Só quando temos a coragem de libertar a sombra é que o sol pode tocá-la... e então tudo vira luz.

Mas é preciso ter a coragem de um cavaleiro da Távola Redonda para chegar perto desse dragão, eu concordo.

Imaginando que você seja assim corajoso, poderia ainda se perguntar:

– Certo, mas se eu libertar o monstro, ele não vai devorar as pessoas que eu amo? Não vai destruir minha casa, queimar meu jardim?

– Será que ele não vai confundir minha cachorrinha com uma sobremesa de quatro patas?

Bem pensado!

Aceitar o Eu Inferior e trazê-lo para a luz não significa permitir que ele destrua aquilo que você ama!

Não significa jogar seus sentimentos negativos sobre as pessoas ao seu redor.

TENHA EM SUA CASA POTES DE SOBRA PARA RECOLHER SUA PRÓPRIA BABA!

De forma alguma eu estou dizendo para você sair por aí chutando a canela das pessoas e depois dizendo:

"Ops... não fui eu... foi meu Eu Inferior!"

Você precisa entender que ninguém é culpado por você estar sentindo essas coisas, NÃO IMPORTA O QUE A OUTRA PESSOA TENHA FEITO! Faz parte da nossa cegueira achar que o outro é responsável pelo que somos e sentimos.

É muito mais fácil culpar os outros do que assumir que aquela coisa gosmenta está vindo de dentro de nós, não é?

Seja o que for que estiver sentindo, você precisa responsabilizar-se por transformar esse sentimento em você. Repito, EM VOCÊ, e não no outro.

Para fazer isso, você precisa entender que esse animal feio e mal-cheiroso é a parte de você que mais precisa de luz. Não adianta nada ficar com raiva de você mesmo por estar sentindo raiva, se criticar por estar morrendo de inveja ou afundar em lágrimas porque acordou triste no dia do seu próprio casamento.

Não é fácil lidar com esse animal, eu sei. Mas se você puder perceber a presença do Eu Inferior naquele exato momento em que ele aparece, sem negá-lo, ou escondê-lo de si mesmo, poderá aprender a domá-lo.

Já sei! Vou fazer uma experiência.

Neste exato momento estou mergulhando dentro de mim à procura do meu Eu Inferior. Quero que você dê uma olhadinha nele. Sei que ele está aqui dentro, escondido nessa caverna que tenho dentro de mim, disfarçado de dragão, soltando uma fumacinha esverdeada pelas narinas.

Espere... estou procurando...

Encontrei!!! Um dragão gordinho e dentuço, com garras afiadas e asas de morcego salpicadas de bolinhas alaranjadas! Parece engraçadinho e inofensivo, MAS NÃO É! Ele é ciumento, autoritário, vaidoso e extremamente irritável. Está avançando na minha direção, soltando fogo pela boca, espumando de raiva por eu o estar expondo nas páginas deste livro. Por pouco salvei o computador da labareda de fogo que ele soltou na direção do teclado!

O QUE FAZER NESSE MOMENTO EM QUE FICAMOS CARA A CARA COM UM MONSTRO SANGRENTO?

Para curar o monstro, por mais incrível que lhe pareça, você vai precisar amá-lo. Ele precisa do seu amor, da sua compaixão, da sua paciência, da sua persistência.

Se você puder se lembrar que está aqui para transformar essa parte sombria de você, se puder aproximar-se de mansinho, como quem tenta domesticar um animal ferido, então algo começará a acontecer. Talvez o monstro não seja tão mau assim, talvez você possa fazer amizade com ele e dar-lhe a tarefa de ser o guardião de sua vida. Talvez... se você tentar.

Quando estiver frente a frente com ele, coloque sua atenção na respiração e permita-se sentir o que quer que seja, sem julgamentos. Apenas sentir, sem despejar isso sobre ninguém mais.

Por exemplo: Você poderia pensar: "Estou agora sentindo MUITA RAIVA." Só isso. Fique com a raiva que está sentindo, respire-a, aceite-a, e você verá que aos poucos ela vai começar a se transformar, a se curar.

Não desista se isso não acontecer logo, ou na primeira vez.
Tenha clareza do que você "realmente" está sentindo.

Às vezes a raiva é como uma casquinha fina e espinhuda que esconde uma grande tristeza. Às vezes, a tristeza é um disfarce melado para uma raiva prestes a implodir dentro de nós.

Outras vezes, no entanto, a raiva é somente raiva e a tristeza somente tristeza. Quando é assim, significa que a cura já começou.

Lembre-se sempre: "Quanto mais você luta, agressivamente, contra um sentimento, mais forte ele fica." Nos contos de fadas sempre é a donzela que amansa a fera. Da mesma forma, somente a delicadeza, a inocência e a suavidade que existem em nós poderão acalmar o Eu Inferior. Precisamos convencê-lo a aliar-se a nós.

VOCÊ NÃO GOSTARIA DE TER UM DRAGÃO DE ESTIMAÇÃO?

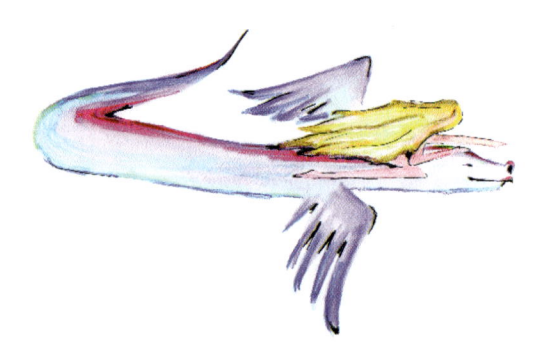

Precisamos encontrar maneiras criativas para lidar com o Eu Inferior, maneiras construtivas de canalizar essa energia poderosa que emana da terra e que faz parte de nós.

Lembre-se: Se você conseguir domesticar seu dragão, poderá usar sua enorme força a seu favor, a favor do planeta, a favor da evolução. Vale a pena tentar!

COISAS QUE VOCÊ PODE FAZER COM SEU EU INFERIOR

Dê a seu Eu Inferior um caderno de presente e permita que o monstro escreva o que quiser nele. (Que tal começar com uma lista de palavrões?)

Desafie-o a correr uma maratona com você.

Pinte sua raiva em uma tela, e a pinte BEM FEIA!

Aprenda a tocar bateria! Dance como um selvagem! Cave um buraco! Mova-se!

Tire cópias das fotografias das pessoas que vivem com você e pinte bigodes e chifres nelas.

Crie o DIA DO MONSTRO. Arraste-se pela casa urrando como o Abominável Homem das Neves. Convide uma criança para celebrar esse dia com você!

REVELAÇÃO

PROTEJA OS OUTROS DO SEU DRAGÃO!

A Revelação é um escudo mágico que nos protege, bem como às pessoas que amamos, dos ataques inesperados do nosso dragão ainda não domesticado. Revelar seu Eu Inferior é como colocar uma placa na porta, onde está escrito:

CUIDADO! EU INFERIOR MUITO BRAVO.

Revelar seu Eu Inferior é diferente de deixar que ele ataque as pessoas.

No caso da raiva, por exemplo, você revela seu Eu Inferior quando diz: "Neste momento estou sentindo raiva, preciso de um tempo para me equilibrar, então é melhor a gente conversar depois, ok?"

Perceba, você não "agiu" como o Eu Inferior. Você simplesmente o "revelou". Seria muito diferente se você tivesse gritado com a pessoa, ou se tivesse ido embora e deixado a pessoa falando sozinha. Nestes casos, você estaria permitindo que seu Eu Inferior agisse atacando, cuspindo fogo, destruindo, queimando.

Você pode revelar qualquer sentimento, lembra? Mas vai precisar aprender a fazer isso de uma forma não destrutiva.

Logo, antes de envolver-se numa discussão, ou de debulhar-se em lágrimas, dê a si mesmo uma chance de encontrar uma maneira mais equilibrada de expressar o que está sentindo.

Enfim, você vai ter que exercitar tudo isso.

Saiba que nem sempre você vai conseguir fazer as coisas da melhor maneira. Muitas vezes seu monstro ainda vai escapar de seu controle, mas com paciência você vai aprender, cada vez mais, a lidar com ele. A vida lhe trará as oportunidades.

Na próxima vez em que sentir medo, raiva, ódio, ciúme, inveja, tristeza, necessidade de se vingar... saiba que essa será sua chance de enfrentar a fera!

Esteja pronto, dê o melhor de si e esteja sempre disposto a perdoar a si mesmo e a recomeçar.

Bom trabalho!

"Seja paciente com tudo o que ainda não esteja resolvido no seu coração, e tente amar os próprios problemas como se fossem salas fechadas, livros escritos numa língua muito desconhecida. Não procure por respostas que ainda não poderiam lhe ser dadas, porque você não seria capaz de vivê-las. Procure, sim, viver tudo. Viva os problemas agora e talvez então, gradualmente, sem perceber, algum dia você seja levado em direção às respostas."

RAINER MARIA RILKE

Pronto para conhecer outro "Eu"? Então, vamos lá!

EU MASCARADO

Para começar a falar desse Eu, vamos relembrar brevemente nossa trajetória até aqui.

Você se lembra daquela pequena estrela que resolveu se aventurar neste planeta? Ela veio para cá e nasceu como nosso Eu Criança. Um ponto luminoso que nasceu e, aos poucos, foi se esquecendo do que estava fazendo aqui. À medida que o tempo foi passando, esse Eu Criança foi se desentendendo com a família, frustrando-se com o planeta, até vir à tona toda a sua braveza, seu medo, sua parte terrena com todos os sentimentos negativos que nomeamos de Eu Inferior.

Se pudéssemos aceitar e lidar com o Eu Inferior, talvez não precisássemos estar escrevendo sobre um novo Eu. Mas o fato é que todos nós, ao depararmos com a cara desse monstro horrendo, nos sentimos envergonhados e culpados por sermos tão feios assim. Nós nos sentimos culpados pelas sombras que carregamos.

A culpa e a vergonha são tão grandes, que passamos a tentar esconder o que julgamos feio ou errado em nós. Não queremos que ninguém saiba que somos tão imperfeitos assim!

E para esconder nosso monstro, começamos a construir uma máscara, e caprichamos para que ela fique bonita e pareça ser de verdade. Colamos purpurinas douradas para que pareça ter o brilho e a alegria do Sol. Pintamos largas faixas azuladas para que transmita uma calma parecida com a tranqüilidade do céu, salpicamos corações vermelhos por todos os lados para que os outros acreditem que somos os seres mais amorosos do planeta.

E assim passamos a mostrar aos outros uma caricatura, uma falsa fachada que nos faz parecer alegres, fortes, tranqüilos, amorosos... (existem muitos tipos de máscaras).

Para todos os lugares aonde vamos, carregamos essa máscara conosco, escondendo com unhas e dentes, por trás dela, tudo aquilo de que tanto nos envergonhamos. Procuramos nos mostrar como gostaríamos de ser, ou como achamos que os outros gostariam que fôssemos.

Fazemos isso não só para esconder aquilo que consideramos "imperfeito" em nós, mas também porque queremos garantir que seremos amados, admirados e aceitos pelas pessoas.

A QUEM ACHAMOS QUE ENGANAMOS?

[ilustração de uma figura com máscara contendo os dizeres: "EU NUNCA ME IRRITO, EU SEMPRE SOU COMPREENSIVO, SOU SEMPRE AMOROSO, EU JAMAIS PERCO A PACIÊNCIA, EU SOU ABSOLUTAMENTE PERFEITO"]

Se a tal máscara funcionasse, até que não seria tão mau assim. Imagine só, transformar a vida num maravilhoso baile de carnaval, repleto de príncipes, princesas, super-heróis, bailarinas...

O problema é que a máscara não funciona!

Não funciona porque o Eu Inferior se recusa a ficar trancado enquanto o baile acontece. Ele acaba escapando e, no melhor da festa, põe todo mundo para correr. E se não quisermos que ele escape, teremos que passar o baile todo grudados na porta, usando toda a nossa força para que o monstro não entre.

Além disso, mesmo que a máscara esconda por um tempo a nossa aparência de verdade, o fato é que o nosso dragão tem um cheiro forte, uma mistura de mel, tanino e enxofre. Resultado: as pessoas sempre sentem "algo cheirando mal no ar", algo que a máscara não consegue ocultar.

E tem mais... Quando usamos uma máscara, por mais bem-feita que seja, não parecemos muito verdadeiros. De alguma forma, as pessoas percebem algo falso em nós. Podemos parecer lindos, perfeitos, equilibrados, e ainda assim as pessoas se afastam ou se irritam conosco, mesmo sem saber explicar o que as fez agir assim.

O EU MASCARADO ADORA DIZER COISAS ASSIM:

"Eu NUNCA..."

"Eu SEMPRE..."

Quer saber a verdade? As pessoas se incomodam e se afastam porque...

O EU MASCARADO É O SER MAIS CHATO QUE EXISTE NESTE PLANETA!

JURO!

I-N-S-U-P-O-R-T-Á-V-E-L!

Quer ver? Pense no seu "Eu Criança". Pensou?

Ele pode ser mimado, medroso, inseguro, teimoso... mas também é divertido, espontâneo, verdadeiro, amoroso, "arteiro", cheio de brilho nos olhos. A Criança Interior é cheia de vida e sempre nos faz, de alguma maneira, vibrar um pouco mais.

Agora pense no seu "Eu Inferior". Apesar de assustador e muitas vezes perigoso, ele é cheio de força e energia, tanto que nos deixa alertas como nunca (se a gente bobear, ele baba nos nossos sapatos, não é?). Quando estamos misturados com esse Eu, com certeza nos sentimos mais vivos e pulsantes do que nunca (você já viu a cor das bochechas de alguém que está com muita raiva?!).

Mas a máscara... uaaaahh...
é um tédio só!

Chata... chata... chata... monótona, repetitiva, previsível.

Ela não é parte de nós, como a Criança e o Eu Inferior. É uma construção. É feita de papelão e idéias de perfeição.

Algumas pessoas usam máscaras por tanto tempo que já não se lembram mais do próprio rosto, e ficam com medo de tirar a máscara e não encontrar nada por baixo dela. Ou pior, quando tentam tirar percebem que a máscara ficou grudada em sua pele.

Carregar a máscara de lá para cá, o tempo todo, traz um enorme cansaço e a estrelinha dentro de nós chora de saudades da época em que podia circular com leveza pela vida, sem tantas barreiras, sem se importar com o que os outros iriam achar caso ela quisesse escolher uma outra cor para brilhar.

CARREGAR MASCARAS... COMO CANSA!

Pode ser que você já não saiba o que é falso e o que é verdadeiro, mas é fácil perceber quando você está usando máscaras. Inevitavelmente, você se sentirá sem vida, como se tivesse se transformado num robô, mecânico e sem espontaneidade.

Quando você usa máscaras, tudo pode parecer perfeito para quem olha de fora, mas você não pode enganar a si mesmo.

Você ri, mas não vibra de alegria. Você pode parecer calmo, mas na verdade está ausente. Você pode estar beijando a pessoa mais amada, e ainda assim seu coração nada sente.

(Você alguma vez já foi a uma festa maravilhosa, onde todos pareciam estar se divertindo muito, MENOS VOCÊ?)

Quando usamos máscaras, as cores vão embora e o mundo vira uma mistura cinza de formas sem graça.
Você se sente como se tivesse sido anestesiado. Aliás, não sente nada. Nem dor, nem alegria. Nem tristeza, nem raiva, nem amor, nem... nada. Tudo se torna um grande nada, vazio e solitário. O Eu Mascarado é apático, cansado e parece não ter nenhuma energia. (E papelão tem vida, por acaso?)
Quando você usa uma máscara, você se separa da vida. A paixão vai embora, seu coração adormece num sono profundo e sua alma fica aprisionada por trás da sua retina. Seus olhos ficam opacos e sem vida.

EI,,, CADÊ VOCÊ???

Para recuperar a vida, sua capacidade de sentir e sair dessa horrível anestesia, você vai precisar correr riscos. Vai precisar correr o risco de sentir todos aqueles sentimentos confusos e caóticos que se escondem por baixo da máscara, o risco de tirar a máscara em frente ao espelho e dar de cara com um dragão caolho e banguela, o risco de mostrar aos outros toda a sua imperfeição, o risco de ser julgado, rejeitado e até abandonado.

Mas se você não fizer isso, se optar por continuar escondido, quem estará se abandonando será você. Você estará abandonando sua criança nos braços do seu dragão. Preciso dizer mais?

Lembre-se. Ao retirar a máscara talvez você liberte alguns monstrinhos, mas também estará libertando sua luz, sua alegria, seus sonhos, sua poesia. Estará se dando a chance de usar toda a sua criatividade para curar o que precisa ser curado em você.

Talvez consiga até mesmo rir das suas imperfeições, deixando a criança fazer cócegas na barriga do seu dragão.

Uma das formas de curarmos nosso Eu Inferior é provocar nele um delicioso ataque de riso!

Quando usamos uma máscara, estimulamos os outros a fazer o mesmo. Mas, felizmente, o inverso também é verdadeiro.

Isso quer dizer que, se você correr o risco de tirar sua máscara, as pessoas se sentirão mais à vontade para se mostrar a você. Com certeza, você se sentirá mais próximo das outras pessoas.

Faça testes. Comece devagar, até se sentir mais confiante.

Você vai precisar aprender a tirar a máscara se quiser acolher sua criança.

Vai precisar aprender a tirar a máscara se quiser curar seu Eu Inferior.

Vai precisar tirar a máscara se quiser VIVER!

EU ESTOU COM SEDE, E VOCÊ?

Destruir máscaras... enfrentar dragões... resgatar crianças... quantos desafios!!! Acho que está na hora de uma paradinha. Hora de fechar um pouco os olhos e deixar uma brisa refrescante nos despertar. Hora de beber uma poção mágica num cálice sagrado, uma poção que nos ajude a lembrar quem somos e por que estamos aqui.

Outro dia, acordei com um diálogo em minha mente, como se eu estivesse conversando com alguém bem antes de acordar. Saltei da cama, apanhei a caneta e o bloquinho que deixo sempre no criado-mudo, e tentei escrever antes que me esquecesse.

E o diálogo era mais ou menos assim:

"Alguém me disse:
– Se você quer pescar no Oceano-Das-Coisas-Que-Não-Podem-Ser-Explicadas, você precisa ter perguntas. As perguntas são como iscas presas a um anzol. Mas deve ter o cuidado de não pescar resposta alguma... você não iria querer um peixe morto na ponta do seu anzol, iria?
Eu respondi:
– Mas... se não devo fisgar as respostas... qual é o sentido da pesca, então?
E esse 'alguém' disse:
– Você precisa desenvolver sua capacidade de lançar-se em quietude nesse oceano, até descobrir que ele e você são um."

MAGIA...

Acontece com todos nós. Não falo daquela magia que nos lembra bruxos e caldeirões, mas daquela fagulha que se ilumina subitamente no meio do dia, daquela brecha na "realidade" que faz com que um momento se torne subitamente especial em nossa vida.
Pode ser um sonho, uma "coincidência", um encontro, um olhar, a resposta para um problema, uma ajuda inesperada. Algo que faz tudo mudar de rumo em nossa vida.

Acontece mais do que nos damos conta, mas muitas vezes estamos tão envolvidos com "as mil e uma ilusões do dia-a-dia", que deixamos escapar da nossa vida esses preciosos momentos de magia.

A magia a que me refiro não é uma habilidade a ser aprendida. Já é uma realidade. Só precisamos aprender a enxergar e a entrar em sintonia com ela.
Com certeza você já viveu momentos assim. Espero que ainda possa lembrar, embora eu saiba o quanto a mente é eficiente em encontrar explicações lógicas e em nos fazer esquecer esses momentos que tanto a ameaçam. (A verdade é que a nossa mente tem muito medo do que não pode explicar.)

Mas de onde vem essa súbita inspiração? De onde vem a esperança que nos carrega nos momentos de aflição? De onde vem a paz que cai sobre nós durante as tormentas? De onde vem a intuição, essa sabedoria interior que estou chamando de magia? De onde vêm as palavras que ficam em nossa mente naquele breve espaço entre o dormir e o acordar? De onde vem a beleza retratada pelos artistas, as resoluções dos complexos problemas de matemática, as idéias mais bonitas? De onde vem essa voz sábia que de vez em quando conseguimos escutar por entre os ruídos dos nossos pensamentos?

E se eu lhe disser que você não está lendo tudo isso por acaso? E que este é um momento pleno de magia?

Alguma vez você desejou que alguém surgisse do nada e, "num passe de mágica", resolvesse todos os seus problemas? Um mestre sábio, poderoso e amoroso que ajudasse você a encontrar seu caminho na vida?

E se eu lhe disser que esse alguém existe, e agora mesmo tenta se comunicar com você?

Estou falando de seu próprio Eu Superior.

EU SUPERIOR

A presença do Eu Superior é sempre mágica.

Às vezes o Eu Superior se torna visível quando menos esperamos. Esses momentos, nos quais nos sentimos reconectados com a nossa luz, são sempre momentos que nos parecem encantados, maravilhosos e que trazem uma enorme paz ao nosso coração.

O Eu Superior sabe que cada um de nós é parte de algo muito maior. Sabe que estamos todos ligados por uma teia invisível feita da mais pura luz. Uma rede que liga todos os eventos da vida e que dá sentido mesmo àquilo que parece não ter sentido algum.

Para tentar dividir melhor com você essa idéia, decidi fechar os olhos e pedir a meu Eu Superior que se mostrasse a mim. Respirei, relaxei... e uma imagem foi surgindo ao longe... chegando mais perto... mais perto... e era... um... um... "papagaio cor-de-rosa".

"UM PAPAGAIO COR-DE-ROSA?!!"
(PAUSA PARA UM PEQUENO DIÁLOGO COMIGO MESMA)

MINHA MENTE
– Não posso escrever aqui que meu Eu Superior é um... papagaio cor-de-rosa!

EU SUPERIOR
– Por que não?

MINHA MENTE
– Porque estou escrevendo sobre uma coisa séria! Você deveria ter aparecido como um velho sábio... uma águia... uma luz... Sei lá! Mas... faça-me o favor... um PAPAGAIO COR-DE-ROSA?!!!

EU SUPERIOR
– Por que você tem que controlar minha aparência? Ela não é só uma ilusão?...

MINHA MENTE
– Mas eu estou escrevendo um livro. Estou falando agora sobre algo sagrado. O que as pessoas vão pensar?

EU SUPERIOR
– Quer dizer que para serem "sagradas" as coisas não podem ser divertidas? E, afinal, por que você está se preocupando com o que as pessoas vão pensar?... Achei que o capítulo da máscara já tivesse ficado para trás...

MINHA MENTE
– Ok! Você venceu!

Bem, o fato é que agora vou ter que continuar escrevendo este livro com um papagaio cor-de-rosa pousado no meu ombro esquerdo. Fazer o quê?... Mas para que eu não me sinta só, por que você não faz esse exercício também?

É fácil... não vai levar mais do que um minuto! Basta você fechar os olhos, respirar fundo, e pedir que seu Eu Superior se mostre para você. E já que eu tive que aceitar o Papagaio, vou ficar na maior curiosidade para saber como o seu Eu Superior vai se apresentar a você... Abra espaço para qualquer imagem, tá?

Faça aqui o desenho do seu Eu Superior

Guarde esse desenho com carinho. Tudo aquilo que tratamos com carinho se torna sagrado para nós.

Certa vez eu ganhei uma pena de pavão, maravilhosa, toda colorida, uma pena que até hoje tenho, pendurada a uma espiral de metal, em meu consultório.

Acredito que, de tanto olhar e admirar sua beleza, aquela pena foi se tornando sagrada para mim. Quando me sinto cansada, desanimada ou desconectada de meu Eu Superior, basta olhar um pouquinho para ela, sentir seu toque suave, e já me sinto cheia de energia, novamente encantada por toda a beleza que existe na vida, na natureza e em cada pessoa. É incrível!

Aquela pena de pavão é mágica porque eu a tornei sagrada. Ela me faz lembrar que posso olhar para as pessoas com esse mesmo encantamento. Um olhar cheio de reverência pela natureza ter criado algo tão lindo quanto o ser humano. Não sei se pavão é amigo de papagaio, mas aquela pena me ajuda a entrar em contato com meu Eu Superior.

O QUE É SAGRADO PARA VOCÊ?

MINHA PENA DE PAVÃO

VOCÊ PODE TORNAR SEUS OBJETOS SAGRADOS. BASTA OLHAR PARA ELES COMO SE ASSIM FOSSEM.

(NÃO EXISTE NADA QUE NÃO SEJA SAGRADO)

SOBRE A SOLIDÃO

Muitas pessoas dizem que sua maior dor é a solidão (será que é possível estarmos sozinhos com tanta gente morando dentro de nós?).

ACREDITE, VOCÊ NUNCA ESTÁ SOZINHO! O EU SUPERIOR ESTÁ SEMPRE COM VOCÊ.

Entenda, o Eu Superior é uma energia poderosa que "nunca" deixa de estar a seu lado. Talvez você não o perceba, mas se você se abrir, e permitir, sentirá cada vez mais a presença dele.

Nós precisamos aprender a buscar esse encontro mais vezes.
Por que será que, nos momentos em que mais precisamos, acabamos nos isolando da nossa própria luz? Por que nos separamos dessa fonte inesgotável de vida e ficamos nos sentindo sozinhos, negando a mão de nosso Eu Superior que tenta o tempo todo nos ajudar?

Você se sentia próximo de seu anjinho quando era criança? Lembre-se daquela sensação gostosa... a sensação de sentir um anjo bem pertinho. Um ser sábio e amoroso que está sempre a seu lado, nos momentos alegres (derramando luzes douradas sobre você), nos momentos tristes (secando as lágrimas dos seus olhos com aquelas asas branquinhas de anjo), nos momentos de confusão (enviando um raio luminoso para indicar o melhor caminho), nos momentos de tensão (fazendo cócegas para ver se você ri e relaxa um pouquinho).

Tente, de verdade, calar um pouquinho essa "falação" da sua mente e sentir essa energia angelical. Talvez você a sinta como um arrepio, uma mudança no ritmo do tempo, ou uma sensação quase imperceptível de algo roçando suas costas (são as penas das asas dele!).

Aprenda a fechar os olhos e a sentir essa presença silenciosa irradiando paz em sua direção. Aquiete seus pensamentos e abra espaço em sua mente para que seu Eu Superior chegue até você. Aprenda a encontrar suas palavras também em uma rajada de vento, no crepitar do fogo, nos movimentos das ondas, na suavidade dos contornos de uma montanha, quando o Sol começa a ir para o lado de lá.

Chame seu Eu Superior para que, com sua doçura, ele o ajude a acolher sua criança.

Chame seu Eu Superior para que, com sua força e sabedoria, ele o ajude a domar seu dragão.

MERGULHE O MAIS FUNDO QUE PUDER MAS "NUNCA" PERCA SUAS ASAS.

Chame seu Eu Superior para que, com seu fogo, ele o ajude a queimar suas máscaras.

Chame seu Eu Superior para que, com sua luz, ele ilumine seu caminho e torne claras suas escolhas.

Abrace seu Eu Superior para que você se lembre de que você e ele são um só.

Abra mão da necessidade de entender e explicar tudo. Permita-se confiar nessa sensação que brota suave e sem nome dentro de você. Viva sua vida como se fosse receber um presente do Universo no próximo momento. Cada momento é um presente.
Receba e agradeça.

IMAGINAÇÃO: VARINHA DE CONDÃO DO EU SUPERIOR

OUÇA... O Eu Superior não fala com você por meio de palavras, e sim por meio de imagens. Logo:

A IMAGINAÇÃO É A LÍNGUA DO EU SUPERIOR

Eu gosto de imaginar. Agora mesmo, acabei de imaginar que não é minha mão que leva a caneta e, sim, que uma pontinha dourada de um raio de sol se disfarçou de caneta para guiar minha mão pelo papel. (É muito mais divertido escrever assim!)

A imaginação é o nosso instrumento mais poderoso, porque, por meio da imaginação, colocamos a nossa energia em movimento.

> "Imaginar é a capacidade de ir além deste momento e deste lugar."

É verdade que para viver neste planeta precisamos ter os pés no chão, mas se ao mesmo tempo pudermos esticar nossa cabeça até as estrelas, aí sim estaremos a um passo de nos tornar livres. Poderemos recuperar nossa capacidade de sonhar e de criar. Poderemos manifestar a luz que vibra em cada célula de nosso corpo. Poderemos viver mais leves, como se asas mágicas nos levassem de lá para cá.

IMAGINAÇÃO

SUA CAPACIDADE DE TRANSFORMAR FLOR EM VARINHA DE CONDÃO

QUEM IMAGINA FAZ O GELO ANDAR

Pense na sua imaginação como uma onda de calor que faz o gelo virar vapor, para poder ir para outro lugar.

O nosso corpo físico é energia congelada, como o cubo de gelo. Toda vez que você fecha os olhos e imagina algo, você está descongelando a sua energia e colocando-a em movimento. Dessa forma você a envia em alguma direção.

Pessoas racionais demais já não se lembram de como é imaginar. São como cubos de gelo que nunca se descongelam. Têm forma definida e se afastam de tudo o que possa derretê-los ou transformá-los em algo que não possam controlar. Mas não precisamos passar nossa vida trancados no congelador, protegendo nossas crenças gélidas e enrijecidas.

Pessoas que brincam de imaginar são cubos de gelo que se apaixonaram pela chama da vela. Atraídos pela luz e pelo calor, vão chegando perto do fogo e assim descobrem que podem derreter, virar água e se deixar levar. Podem penetrar na terra, podem evaporar, podem ser levados soltos pelo ar.

Está estressado? Que tal um banho de mar?

Se você se imaginar mergulhando calmamente nas águas mornas do mar, acredite, uma parte de você REALMENTE estará fazendo isso e talvez, depois de imaginar, você se sinta relaxado como se tivesse deixado na água salgada todo o **stress** de um dia cansativo.

Se você imagina uma chuva de luz caindo suavemente sobre um amigo querido, tenha certeza... ele a receberá, embora talvez nem saiba de onde veio aquele súbito sopro que o tranqüilizou num momento de aflição. Tente um pouquinho, agora mesmo... que tal? Feche os olhos e imagine uma chuva de infinitas pequenas estrelas douradas, caindo sobre você, tornando o seu corpo mais luminoso, mais leve, como se ao tocá-lo cada estrelinha fizesse ir embora toda a tensão e o preenchesse com uma onda dourada de felicidade.

VEJA!!!! VOCÊ ESTÁ BRILHANDO!

Seja generoso!
Outro dia li num livro (infelizmente não me lembro qual) uma frase que dizia: "Você não precisa ter dinheiro para presentear alguém." Gostei disso! Dê presentes luminosos para as pessoas que você ama, dê presentes para as pessoas que você não conhece, mas sabe que estão precisando; para a natureza, para o planeta inteiro!
É tããão simples... Basta fechar os olhos e imaginar.

PLANTE FLORES COM SUA IMAGINAÇÃO.

Crie as suas próprias imagens curadoras. Imagine coisas que façam bem às pessoas, ao planeta. Isso tudo é possível quando você está em contato com seu Eu Superior.

IMAGINAR NÃO É "PENSAR"

Existe uma grande diferença entre a imaginação, que é uma qualidade de nosso Eu Superior, e os pensamentos. Aprenda a diferenciá-los.

A imaginação traz novas informações para a consciência. Os pensamentos, na maioria das vezes, nos fazem rodar, rodar e rodar sobre o que já conhecemos.

A imaginação diverte, o pensamento repetitivo cansa.

A imaginação é feita de formas, cores, sensações; o pensamento é composto por palavras.

A imaginação é aquilo que acontece no espaço que você consegue abrir entre um pensamento e outro.

IMAGINE QUE SEUS PENSAMENTOS SEJAM BOLHAS DE SABÃO.

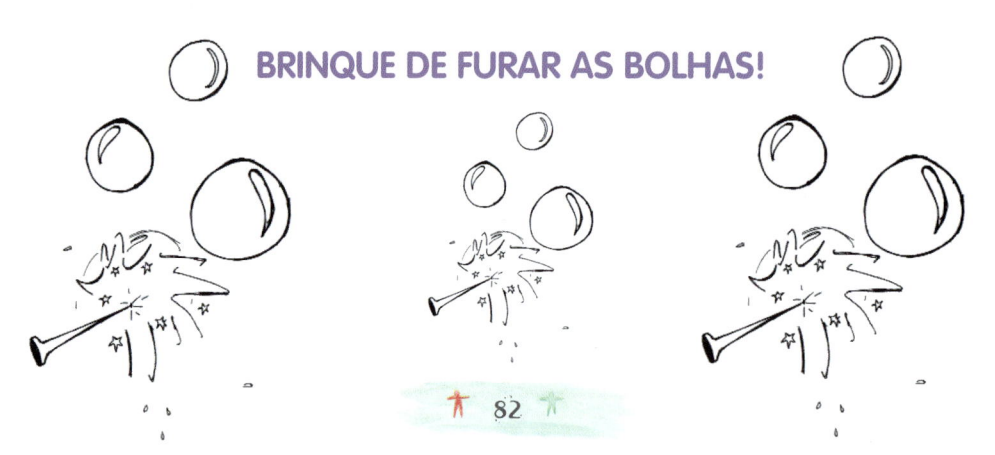

BRINQUE DE FURAR AS BOLHAS!

Quando começamos a utilizar conscientemente a imaginação, nós nos tornamos mais capazes de criar nossa própria vida.

Ei, cuidado para não usar a imaginação contra você!

Nada de ficar imaginando as "10-Piores-Coisas-Que-Poderiam-Acontecer". Saiba selecionar as imagens como se estivesse pintando seu futuro. Escolha imagens bonitas, ok?

A mente nos cansa... Você já percebeu isso? Ela fala, fala, fala. Roda, dá voltas e voltas e acaba não chegando a lugar algum. Mas – antes que ela fique brava comigo – é claro que a mente tem sua função!

As coisas deveriam acontecer mais ou menos assim. O nosso Eu Superior, que tem asas transparentes e pode voar, iria até lá em cima, no céu (onde ficam flutuando as melhores e mais brilhantes idéias), e com uma daquelas redes de caçar borboletas, caçaria uma idéia e a traria para baixo. Então entregaria essa idéia à mente e assim, Eu Superior e mente trabalhariam juntos para que essa idéia se tornasse real.

Se as coisas funcionassem assim, tudo fluiria bem e em muito menos tempo do que imaginávamos, teríamos um paraíso à nossa volta, criado por nós.

Mas o que acontece é que a mente é tão ansiosa que acaba achando que suas idéias são mais interessantes, mais valiosas. Além disso, a mente quer ter o controle de tudo.

Dá para entender. Afinal, desde que surgiu (principalmente no Ocidente), a mente foi treinada para separar as coisas em bom/mau, certo/errado, bonito/feio, e por aí vai. A verdade é que a mente sabe dar nomes às coisas, classificar, ordenar, repetir, repetir e repetir.

Mas "criar"... é algo em que ela não é lá grande coisa!

Assim sendo, a mente está sempre tentando avaliar os dois lados, oscilando de lá para cá. Conclusão: ela gasta uma enorme quantidade da sua energia nisso.

E você sabe qual é a matéria-prima usada para transformar suas idéias e sonhos em realidade?

A SUA ENERGIA!

Logo, se você requisitar sua mente para criar uma nova solução para algo em sua vida, você estará realmente encrencado, pois a mente desperdiça grande parte da sua energia.

Resultado: Não sobra energia para transformar seu sonho em coisa real.

Quer ver?

Imagine que você queira tomar uma decisão na sua vida. Pode ser qualquer decisão... "Devo me casar? Devo aceitar esse emprego? Devo mudar de cidade? Devo... (faça a sua pergunta)?"

A mente imediatamente começará a mostrar a você toda uma lista de motivos pelos quais você deve, SIM, tomar essa decisão. Você pensa, pensa e pensa... e vai concordando com ela... e quando já está quase lá, quase decidindo...

Aí a sua mente começa a lhe mostrar um igual número de razões pelas quais você NÃO deveria fazer isso, e assim por diante.

Acredite, a mente é muito boa nisso, é altamente convincente, sabe argumentar muito bem e consegue levar você a praticamente desistir... e então ela começa tudo de novo.

Você já viveu algo assim? É DE ENLOUQUECER, POSSO GARANTIR!

E lá se vai sua energia, vazando como se você estivesse furado.

Não chegaremos muito longe se contarmos apenas com a mente para decidir e criar coisas em nossas vidas. É lógico que essa etapa em que avaliamos as opções é importante, mas depois que já olhamos para tudo, de novo, de novo e de novo, precisamos mergulhar mais fundo, atravessar essa enlouquecedora correnteza feita de pensamentos e procurar aquele lugar silencioso dentro de nós onde algo nos diz, simplesmente... VÁ NAQUELA DIREÇÃO.

ATRAVESSE AS ILUSÕES

Isso não vem a nós como um pensamento. É mais uma sensação, algo que não sabemos explicar, algo que sentimos. Uma INTUIÇÃO.

Se você prestar atenção, vai perceber que você sempre sabe, lá dentro de você, o que precisa fazer, ou para onde ir. Você sabe, mas muitas vezes finge não saber e se esconde nas confusões da mente. E você faz isso porque nem sempre é fácil fazer o que nossa intuição nos diz. Às vezes é mesmo muito difícil seguir essa voz que fala baixinho dentro de nós. É difícil largar as "falsas seguranças", mudar, transformar, fazer nossa mente calar e nos entregarmos à VIDA.

Já aconteceu de você tomar uma decisão que lhe trouxe um resultado doloroso e depois, ao olhar para trás, dizer a si mesmo: "Eu sabia que seria assim... devia ter seguido minha intuição."

Para seguir nossa intuição, no entanto, precisamos aprender a confiar e a nos entregar ao Eu Superior. Precisamos parar de lutar contra ele, entender que ele é muito mais sábio do que a criança, muito mais amoroso do que o Eu Inferior, muito mais verdadeiro do que a nossa máscara.

Isso me faz pensar...
Você concorda com Darwin? Acha que nós, homens, evoluímos do macaco, como se diz por aí?

Prestando atenção na maneira como vivemos, eu discordo e tenho que afirmar que nosso parente ancestral não foi o macaco, e sim um daqueles enormes polvos que navegavam em meio a navios-fantasmas e furiosas tempestades. Digo isso porque, pela tenacidade com que nos agarramos a tudo, só poderíamos ter evoluído a partir de um animal que possuísse tentáculos tão fortes quanto os desses polvos.

Na vida tudo flui, tudo se move o tempo todo. As folhas se soltam das árvores e voam livres em direção ao solo, sem achar que vão morrer por causa disso. A lagarta cria asas e vira borboleta, sem por isso sofrer nenhum tipo de crise de identidade. O rio evapora e chove em um outro lugar lá adiante, sem medo de perder o caminho de volta para o conhecido leito onde se deitou por tanto tempo.

As aves migram de um continente a outro, sem assento marcado, sem serviço de bordo, sem nenhuma garantia de que encontrarão um lugar para descansar ou para se alimentar durante o caminho.

E NOS?

O natural seria que seguíssemos com a vida, como toda a natureza faz.

Mas o que acontece é que nos agarramos o tempo todo. Nós nos agarramos às pessoas, às crenças, aos lugares, aos objetos, às situações.

A vida "é" movimento e continua seguindo para onde tem de ir. Ela passa ao nosso lado, nos vê agarrados a algo e diz "Venha comigo, vamos ver o que nos espera lá na frente?"

E nós nos agarramos ainda mais, porque não confiamos na vida, não sabemos para onde ela quer nos levar e temos medo, MUITO medo do desconhecido. Não queremos perder o controle das coisas.

Nos agarramos, e nossos braços vão ficando doloridos de tanto segurar.

LIBERTE-SE

A vida nunca desiste e, uma vez mais, como um rio mais caudaloso, passa por nós e fala conosco: "Venha comigo, confie, solte-se... vamos brincar! Se você ficar, vai sofrer."

Mas não queremos confiar, e apertamos os músculos tentando nos segurar. Não nos ocorre simplesmente relaxar, soltar as mãos que nos prendem e nos deixar levar pela correnteza.

Assim passamos muito tempo, lutando contra o fluxo da vida, agarrados, com medo.

Você tem se sentido cansado? Tem se machucado, lutado, tentado se agarrar? Se estiver sentindo dor, pergunte a si mesmo: "O que preciso largar?"

Seu Eu Superior pode ajudar você a se sentir seguro, a vencer o medo, a arriscar se soltar.

DÊ UM SALTO, DE BRAÇOS ABERTOS, BEM NO MEIO DA VIDA.

Siga o fluxo

Precisamos de muita coragem para seguir a vida.
Falando em coragem... essa é uma palavra interessante.

"cor - agem" = "ação do coração"

Corajoso é aquele que escolhe seu próprio coração como guia pelos labirintos da vida.

O tio de uma grande amiga minha, um exímio restaurador e conhecedor de antiguidades, certa vez me disse que muitas armaduras antigas de guerreiros continham esse símbolo, pois ele era considerado, no Oriente, um símbolo de coragem. Ele ainda me disse que a razão dessa escolha devia-se ao fato de a pupila do javali ter esse formato. Ao contar isso ele sempre acrescentava:

"Se você conseguir chegar perto de um javali o suficiente para verificar isso, com certeza estará sendo MUITO corajosa."

Sabe de uma coisa engraçada?
Até hoje não sei se ele falava a sério!

ÀS VEZES A VIDA É UM JAVALI DISFARÇADO, SABIA?

VIDA

Descubra essa verdade: "A VIDA SEMPRE LEVA VOCÊ PARA ONDE VOCÊ DEVERIA ESTAR." E quando estamos onde deveríamos, quando nos entregamos e paramos de lutar contra a vida, tudo vai aos poucos entrando em harmonia até que, finalmente, nos sentimos em paz.

PAZ É A GRAÇA QUE RECEBEMOS QUANDO DEIXAMOS A VIDA NOS LEVAR DE VOLTA AO NOSSO LUGAR

Muitas pessoas não conseguem se soltar na vida porque acreditam que precisam estar no controle de tudo para se sentirem seguras.

O que é essa tal de SEGURANÇA, afinal?

Tudo o que é externo a você só pode lhe oferecer uma segurança ilusória. Bens materiais, relacionamentos, trabalho; tudo isso pode um dia desmoronar.

**A segurança não se baseia em nada
que esteja fora de você.**

A única segurança real é a sua capacidade de entrar em sintonia com seu Eu Superior. Se você for capaz de ouvi-lo, não importa o que lhe aconteça, você sempre saberá para onde ir, como agir, o que fazer.

Segurança é entregar-se à vida, sabendo que existe uma inteligência amorosa por trás de cada pequeno evento.

É como saltar no colo de Deus. (Quer lugar mais seguro?)

Se você criar paz e harmonia dentro de você, não importa o que esteja acontecendo à sua volta, você sempre encontrará um espaço de tranqüilidade. Mas se você viver imerso em conflitos, nem mesmo uma enorme conta bancária, ou o lugar mais seguro do mundo o farão sentir em paz.

Busque segurança no seu Eu Superior, dê a ele o nome e a aparência que quiser!

Eu gosto de imaginar meu Eu Superior como uma linda luz radiante, que toma muitas formas. Às vezes surge apenas como luz, às vezes (para agradar minha criança) se parece com um anjo; outras vezes assume formas irreverentes, brincalhonas (quando estou séria demais). Meu Eu Superior se disfarça de papagaio e tantas outras coisas (nem vou entrar em detalhes...) quando quer me ensinar algo.

NÓS CRIAMOS O MUNDO DE ACORDO COM O QUE ESCOLHEMOS ACREDITAR.

O MUNDO É MAIS SEGURO QUANDO ACREDITAMOS EM ANJOS.

Existem muitas maneiras de nos aproximarmos do nosso Eu Superior. Contemplar a natureza, orar, brincar com uma criança, cozinhar, lavar louça, cortar a grama do jardim...

COMO ASSIM??? Cozinhar??? Lavar louça??? Cortar grama???
Ok... Eu disse que o meu Eu Superior é um tanto irreverente, não disse? Mas pense nessa energia angelical como uma névoa dourada ao seu redor, presente o tempo todo, não importa o que você esteja fazendo. Pensou? Sentiu, agora mesmo?

Logo, não podemos nos aproximar mais, porque essa energia JÁ ESTÁ AQUI. O que podemos, sim, é nos tornar conscientes da presença dela, sem importar o que estejamos fazendo. Isso é o que chamamos MEDITAR.

Podemos meditar enquanto lavamos louça, desde que estejamos plenamente ali. Não é tão fácil, eu sei, mas precisamos começar a praticar. (Tente realizar uma tarefa sem se distrair nem um minutinho para perceber o que digo!)

A MEDITAÇÃO É UM MERGULHO CALMO, SILENCIOSO E CONSCIENTE NO MOMENTO PRESENTE.

Calmo, silencioso e consciente... isso quer dizer que, para meditar, você vai precisar aprender a aquietar os pensamentos. Você pode fazer isso a qualquer momento, e não só naqueles momentos em que está sozinho, de olhos fechados.

VOCÊ QUER MEDITAR COMIGO?

Vamos lá! Vou dando umas dicas e estarei a seu lado, ok?
Para começar, procure um local silencioso, e certifique-se de que não será interrompido... Achou?
Então sente-se. (Estou sentada à sua frente... você pode me sentir?) Pode ser numa cadeira, ou no chão. Fique numa posição confortável, mas procure manter as costas eretas. Respire profundamente (o ar deve chegar até o abdômen), e feche os olhos.

Não lute contra os pensamentos. Seja gentil, mas procure voltar sua atenção para outra coisa que não seja "pensar". Pode ser ouvir uma música, os batimentos do seu coração, sua respiração ou prestar atenção no seu corpo.

Caso não funcione, e a mente continue agitada, dê-lhe uma tarefa, mas peça com delicadeza, ok?
"Querida mente, você poderia ficar aí imaginando uma linda luz branca ao meu redor? – ou ainda – "Poderia contar a cada inspiração?"

TODOS OS DIAS EU ME SENTO NESSA CADEIRA E CONVIDO MEU EU SUPERIOR A SE SENTAR COMIGO

É importante que você seja firme, porém suave. Sua mente fica furiosa quando você tenta dar ordens, quando a repreende ou luta com ela durante uma meditação.

Abra-se para o momento presente, como se ele fosse o único. Deixe o passado para trás e não queira que nada lhe aconteça no futuro. Simplesmente fique com você mesmo, em paz, no aqui e agora. Dê a você mesmo, nesse momento, TODA a sua atenção.

DESCUBRA QUE VOCÊ PODE FICAR COM VOCÊ MESMO!

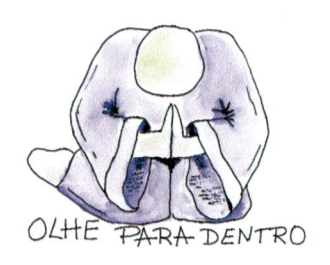

OLHE PARA DENTRO

Concentre-se em diminuir o ritmo dos pensamentos e mergulhe nesse espaço feito de paz. Não tente encontrar nada, não rejeite nada, não faça força. Apenas exista!

Ei! Não espere, sons, luzes, visões... Valorize a sua experiência, seja ela qual for, ok?

Para aprendermos a controlar a mente precisamos de prática, perseverança e de muita, muita paciência.

FALANDO UM POUCO SOBRE O PERDÃO...

No meu trabalho como psicoterapeuta, vivo encontrando pessoas que me olham com aqueles olhos grandes que as crianças fazem às vezes e me perguntam:

"Como faço para perdoar essa pessoa?"

Essa pergunta sempre me emociona. É tocante perceber o quanto as pessoas desejam atravessar essa barreira de mágoas, raiva e tristeza que as separam de quem amam. **"Como posso abrir meu coração?"** – insistem, ansiosas por uma resposta.

Em momentos assim, confesso, eu bem que gostaria que existisse uma fórmula mágica, uma poção do esquecimento ou um conjunto de palavras que, ao serem proferidas, permitissem que todos os conflitos fossem instantaneamente perdoados. Mas (e eu sei que você já sabe disso...) tal fórmula não existe. Não há nenhum caminho mágico que faça alguém perdoar alguém.

O perdão não é algo que fazemos por outro alguém, e sim o resultado de um profundo trabalho pessoal, no qual atingimos uma percepção mais ampliada da vida.

Você precisará aprender a elevar o nível da sua consciência e dar um salto em sua própria evolução, se quiser ser capaz de perdoar.

O primeiro engano que vejo as pessoas cometerem ao "tentar" perdoar é uma necessidade de "perdoar rápido demais". Querem logo esquecer o que passou e fazer tudo voltar como era antes.

Ouça... isso não é possível.

Perdoar não é esquecer ou apagar o que aconteceu e voltar para algum lugar lá atrás. Você vai precisar seguir em frente e se tornar maior, aí nesse espaço, no seu peito, no seu coração, dentro de você.
Perdoar é "crescer por dentro". É ser capaz de amar "apesar de".
Não é fácil, eu sei. Eu sei também que quando você está sentindo muita dor, acredita que essa dor nunca irá deixá-lo. Mas, lembre-se, tudo passa... e você tem um caminho a percorrer.

Como chegar lá, então?

Se você quer, de verdade, perdoar alguém (pode até ser que você queira perdoar a si mesmo), já tem um lugar por onde começar. O caminho a ser trilhado começa assim:

PARE de tentar perdoar.
PARE de se esforçar nessa direção.
Deixe, por um momento, o perdão de lado.

Relaxe um pouco, confie que tudo na vida caminha na direção do amor e se você permitir, o mesmo acontecerá com você, de maneira natural.

Agora, para ajudar a vida a conduzir você até o lugar sagrado onde mora o perdão, comece por se permitir sentir TUDO o que for verdadeiro em você.

Talvez você esteja magoado, profundamente ferido, triste, ou com raiva. Talvez esteja sentindo uma enorme vontade de se vingar de alguém, de fazer esse alguém sofrer e "pagar" por tudo o que você acredita que ele fez a você.

**Talvez queira "acabar" com ele.
Aniquilá-lo!
Destruí-lo!!!**

Bem, esse não é exatamente o melhor momento para você resolver perdoar alguém, certo?

Se você está se sentindo assim, acredite, não vai adiantar nada querer sorrir para o outro e agir como se nada tivesse acontecido. Não vai dar para oferecer um abraço verdadeiro... a não ser que você planeje espetar as costas do infeliz com uma luva cheia de espinhos venenosos!

Acho que você já percebeu que quando se sente assim, está abraçadinho a seu Eu Inferior (grrrrr....) , e o seu Eu Inferior...

...NÃO QUER PERDOAR PORCARIA DE PESSOA NENHUMA!!!

Ok, então, nesse momento, procure afastar-se um pouco do mundo externo e crie um espaço seguro dentro de você, onde o Eu Inferior possa se expressar. Permita-se sentir toda a sua fúria, o seu rancor, seu ódio... seja o que for. Não tenha medo de ser destruído por isso e não jogue isso para fora de você. Apenas sinta, sem esconder nada de você mesmo. Perceba o quanto de maldade existe também dentro de você (e de todas as pessoas, lembra?). Perceba que existe um lugar aí dentro onde você acredita ser capaz de destruir o outro, massacrá-lo, parti-lo em inúmeros pedaços e usá-los para alimentar seu Eu Inferior faminto por vingança.

PERDOE A SI MESMO

Se você fizer isso, se olhar para si mesmo com esse grau de honestidade, verá que não é assim tão diferente das outras pessoas. Você poderá se dar conta de que existe em você um potencial para ferir o outro, assim como existia naquela pessoa que feriu você.

A única diferença é o quão conscientes estamos desse potencial para o mal. Ou seja, quanto menos conhecemos o nosso Eu Inferior, mais livre ele fica.

Pense nisso... manter uma mágoa e não perdoar é também uma forma de ferir o outro, de fazê-lo sentir-se culpado.

Às vezes ficamos na posição de vítimas só para ter o prazer de ver o outro consumir-se em remorsos. É uma maneira disfarçada de punir o outro, de "devorar seu fígado" lentamente, saboreando cada momento.

Não existe diferença entre você e o outro, quando você age assim, mesmo que aparentemente sua atitude seja justificada. Você precisará avaliar tudo isso e trazer suas reais intenções para a sua consciência, trazendo a sombra em direção à luz.

Existe um sentido maior, que muitas vezes não compreendemos, em tudo o que acontece. Pense que talvez essa pessoa que feriu você, e a quem você não quer perdoar, tenha sido um instrumento da própria vida para ajudar você a trazer à tona aspectos sombrios desconhecidos em você, aspectos que precisavam ser transformados. Ouça... o que impede você de perdoar é a SUA PRÓPRIA NEGATIVIDADE.

Ao perdoar o outro estamos, na verdade, aprendendo a perdoar a nós mesmos.

Ao aceitar isso como uma verdade, ao olhar bem de perto para todos esses sentimentos negativos que existem em você, algo maravilhoso começa a acontecer. De repente você se sente tão humano e falho quanto as outras pessoas, um sentido de compaixão começa, sutilmente, a surgir em você e pouco a pouco, sem esforço, as sombras começam a se dissolver. Ao transformar sua negatividade, ao curar seu Eu Inferior, você consegue olhar para o outro a partir do amor e da luz que existem em você. Sem rancor, sem ódio, sem mágoas.

Entenda, você precisará de tempo para fazer isso. Fuja de qualquer manual do tipo: "Como aprender a perdoar em 20 dias!"

– Mas quanto tempo vai levar??? – as pessoas sempre perguntam.

Vai depender do quanto você é corajoso para olhar com verdade para dentro de você.

Nesse processo de cura, você sempre poderá contar com a ajuda de seu Eu Superior. Você pode pedir a seu anjo que o ilumine, que o ajude a curar seu Eu Inferior, que o ajude a aprender a amar mais, a aceitar o lado sombrio que existe nos outros e em você, a enxergar o que é real em meio à ilusão, a se tornar maior do que essa parte que se sente lesada e ferida, a lembrar-se da sua própria luz.

O perdão vem.

O perdão vem quando entendemos que não há nada a ser perdoado. Não há algozes, não há vítimas; somos apenas seres aprendendo juntos, representando juntos, brincando juntos.

Pare de correr atrás do perdão. Sente-se em quietude com você mesmo, sinta o amor que existe neste exato momento em seu coração e deixe o perdão alcançar você.

O perdão sempre vem.

SOBRE O AMOR

"Amar outro ser humano é talvez a tarefa mais difícil que a nós foi confiada, a tarefa definitiva... a prova para a qual todas as outras não passam de mera preparação."

Rainer Maria Rilke

Talvez o amor seja a qualidade máxima do Eu Superior, a porta dourada dentro de você por onde a sua chama e a chama divina se encontram para celebrar a vida.

Estamos aqui para nos lembrar de nossa capacidade de amar, para transformar em nós tudo o que não é amor.

Sinta o amor como uma energia dourada vibrando em cada célula do seu corpo. Sentiu? Não importa onde esteja, ou com quem, o amor é como um bálsamo sagrado, que existe no Universo em quantidade suficiente para banhar todo o seu ser, todos os seres, todo o planeta, toda a vida.

TEM AMOR PARA TODO MUNDO!

O amor é como a luz. A consciência é o botão que aumenta ou diminui a intensidade da luz. Você pode escolher sentir-se pobre em amor, vivendo na escuridão e culpando as pessoas por isso, ou pode mergulhar dentro de você mesmo, nesse lago dourado feito da mais pura consciência, onde repousa sua energia amorosa, e acender sua luz.

Você pode, neste exato momento, aumentar a intensidade dessa energia.

Você não precisa buscar o amor no mundo externo. Não importa a paisagem ao seu redor, você sempre pode escolher amar. Mesmo que sinta medo, ódio, inveja. Mesmo que ainda tenha muito trabalho e um longo caminho a percorrer em seu processo de transformação pessoal, você sempre pode trazer mais amor para a sua vida e intensificar essa energia dourada em você.

E quanto mais "dourado" você estiver, quanto mais amor você deixar fluir através de você, mais atrairá pessoas que vibrem nessa mesma sintonia. Quanto mais você se tornar amor, mais amor existirá em sua vida.

Faça de você mesmo seu ponto de partida. Aprenda a não se deixar afetar pelas críticas e julgamentos daqueles que ainda não podem compreender ou valorizar quem você é.

UM EXERCÍCIO PARA QUEM QUER AUMENTAR SUA ENERGIA AMOROSA!

Para aumentar e ancorar a energia amorosa em cada uma de suas células, basta fechar os olhos e enviar amor.

Você pode, por exemplo, enviar essa energia amorosa para o planeta. Do fundo de seu coração, imagine as pessoas em paz, unidas, felizes. Imagine o planeta como berço de uma infinita beleza e harmonia, envolvido em uma esfera dourada DO MAIS PURO AMOR.

Esse é um exercício simples, mas extremamente poderoso quando praticado com regularidade.

Tenho uma sensação gostosa ao escrever isso e me lembro de uma tarde chuvosa em que duvidei do amor. Naquele dia, há um bom tempo atrás, prisioneira de minhas próprias ilusões, não me sentia amada pela vida, ou pelas pessoas. Me lembro de estar sentada atrás do volante do meu carro, rodando sem rumo, imersa em tristeza. Então parei, aguardando o semáforo ficar verde, e no carro à minha frente uma garotinha de uns cinco anos começou a me fazer sinais. No início ignorei, imersa como estava em meu poço de lamentações pessoais, sentada bem ao lado de meu Eu Inferior. Mas ela insistiu, e comecei a repetir os sinais que ela fazia. Assim ficamos, por um breve período de tempo, até que decorei a seqüência de quatro sinais que ela insistia em repetir.

Quando cheguei em casa, fui procurar um folheto que continha uns desenhos com os gestos usados por pessoas surdas para se comunicarem. Foi com uma profunda emoção que descobri que aquela menina tinha me ensinado a gesticular a palavra "AMOR".

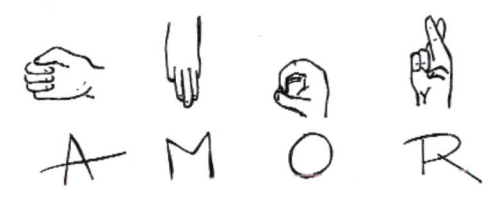

A M O R

– Ei, garotinha, esteja onde estiver... obrigada!

CONVIDE SEU EU SUPERIOR A CELEBRAR A VIDA COM VOCÊ!

Com a ajuda de sua criança, resgate seu bom humor:

Use uma máscara de mergulho para descascar cebolas sem chorar (deixe que te vejam fazendo isso, e riam juntos!)

Quando o telefone tocar, sopre um beijinho em sua direção e pense: "Oba! Sei que são boas notícias!" (antes de atender)

Role no chão com seu animalzinho de estimação. (Você não tem um? Então aproveite e vá buscá-lo!)

Brinque com a vida. Ao acordar faça um desafio: "Hoje vou encontrar alguém que tornará meu dia especial! (Se não encontrar hoje, tente de novo amanhã.)

Faça um quadro de "sonhos a realizar" e convide sua família a partilhar esse espaço com você. Anotem seus sonhos. Usem canetinhas coloridas, colagens, tintas e purpurinas.

Recicle seu lixo (o interno e o de sua casa também!!!).

TEM GENTE DEMAIS DENTRO DE MIM!!!

Depois de tantos "Eus", você pode estar se perguntando... será que tem mais alguém aqui dentro de mim???

Quero então falar de um último Eu, que vou chamar de EU OBSERVADOR.

EU OBSERVADOR

O Eu Observador é uma parte de você que consegue se afastar o suficiente para enxergar todos os outros eus, sem se misturar com eles. É aquela parte que consegue perceber quando a criança entra em cena, ou quando é o Eu Inferior o responsável por toda aquela baba sendo derramada no sofá da sala. É o Eu Observador que percebe quando estamos anestesiados por trás de nossas máscaras ou quando estamos vivenciando uma paz verdadeira, devido ao nosso próximo contato com o Eu Superior.

Precisamos do Eu Observador para sermos capazes de identificar o que está acontecendo no palco da nossa vida. É como se fosse o diretor de cena e conhecesse cada personagem.

É importante dizer que o Eu Observador só é capaz de fazer isso tudo PORQUE É UMA PARTE DO NOSSO EU SUPERIOR.

O primeiro passo para criarmos mais harmonia dentro de nós é "simplesmente observar".

Agora, preste bem atenção para não se confundir. O Eu Observador não julga, não condena, não absolve... Ele só observa. Observa com compaixão e carinho.

Se você um dia perceber seu Eu Inferior aprontando das suas e uma parte sua gritar:

– "Ei, monstrengo... pare de morder os meus sapatos!!! Você é mesmo mau, não? Volte para sua droga de caverna e me deixe em paz!"

Tenha a certeza de que essas palavras NAO FORAM DE SEU EU OBSERVADOR.

O Eu Observador diria: – "Ah! Aí está você de novo, não é? Ainda precisamos curar você!"

Ele apenas identifica quem está presente. À medida que você for aprendendo a reconhecer quem está se apresentando a cada momento, você vai começar a descobrir como lidar com os vários Eus de forma a criar mais harmonia na sua vida.

O Eu Observador ajuda você a mudar de um Eu para o outro. Ele é como uma ponte, um lugar seguro onde você pode descansar e relaxar enquanto os dramas da sua vida se desenrolam.

Imagine, por exemplo, que sua criança tenha vindo à tona com tudo, e que você esteja se sentindo estranhamente frágil, carente, incapaz, assustado.

Imagine que você esteja em meio a uma crise de choro, seu peito subindo e descendo no ritmo dos soluços (algumas crianças são bem dramáticas!).

O Eu Observador é aquela parte de você que, de repente, vê você mesmo soluçando e diz: – "Essa é a minha Criança. Ela está frágil... é melhor eu chamar o Eu Superior para cuidar dela!"

O Eu Observador salta bem no meio da encenação e nos possibilita recriarmos as cenas de nossa vida com mais consciência.

Precisamos fortalecer esse Eu prestando mais atenção em nossas reações, em nossos sentimentos, em nossos pensamentos. Muitas das nossas respostas às situações com as quais nos deparamos são respostas automáticas, programadas há muito tempo atrás, e que já não são mais adequadas ou positivas hoje.

Todas as vezes que você tem uma reação exagerada a alguma coisa, tenha a certeza de que está colocando em prática uma programação. Só podemos ser livres e criativos quando paramos de "reagir" e passamos a "escolher como agir" em cada situação.

Por exemplo, se você interpreta qualquer observação a seu respeito como uma crítica, e já lança seu monstro babão sobre o coitado que cismou de fazer aquela observação, isso significa que você está reagindo automaticamente. Sua reação não é proporcional ao que a causou. É pura invenção.

Na maior parte das vezes a pessoa "só queria saber se você cortou o cabelo!!!!"

Ela não estava dizendo que você ficou "medonho, horroroso, com cara de caroço de manga chupada!!!"

Para nos libertarmos de nossas programações, precisamos de consciência, precisamos descobrir que reagimos como "malucos" mais vezes do que nos damos conta.

MALUCOS DE PEDRA!

O Eu Observador nos ajuda a perceber tudo isso. Ele observa nossas reações e diz: "Hummmm... Isso está um pouquinho exagerado." E anota tudo em seu caderninho mágico, para nos ajudar.

A partir do momento em que nos conhecemos, que catalogamos onde estão essas armadilhas dentro de nós, podemos então começar a nos transformar.

Agora vou compartilhar com você uma maneira divertida de fortalecer seu Eu Observador.

PRÁTICA DE OBSERVAÇÃO

Nada melhor para conhecer o Eu Observador do que praticá-lo. A minha sugestão é que você pratique cada observação por pelo menos uma semana, mas você pode optar por outros prazos, caso ache melhor.

Vamos dedicar uma semana para prestar atenção em cada Eu.
Lembre-se:
SIM: Observar, coletar dados, aprender!
NÃO: Julgar, condenar, criticar.

Primeira Semana: Observe seu Eu Criança

Na primeira semana do mês se disponha a observar todas as vezes em que seu EU CRIANÇA vem à tona.

Anote como se sentiu e em que situações a criança parece surgir mais.

Ela costuma aparecer no trabalho ou em casa?

Com que pessoas?

O que ela quer?

O que a faz ficar em paz?

Ao final das observações, resuma suas percepções na tabela que segue.

EU CRIANÇA

Em que situações sua Criança costuma aparecer?

Quando sua Criança aparece, como você se sente?

Quais são as pessoas que trazem sua Criança à tona?

Do que sua Criança está precisando?

Assuma aqui um compromisso com sua Criança:

Segunda Semana:
Observe seu Eu Inferior

Na segunda semana (prepare-se para cruzar com muitos gatos pretos!) observe seu EU INFERIOR.

Observe todas as vezes em que os sentimentos negativos afloram em você. Quando você fica com medo, ou irritado, ou agressivo com as pessoas?

Em que situações isso acontece?

Tome notas, faça desenhos. Não tente mudar. Apenas observe.

Perceba como a energia do Eu Inferior é diferente da energia da Criança.

Aprenda a seu próprio respeito.

Anote tudo na tabela.

EU INFERIOR

Em que situações seu Eu Inferior costuma aparecer?

Quando seu Eu Inferior aparece, como você se sente?

Quais são as pessoas que trazem seu Eu Inferior à tona?

O que você precisa aprender para que seu Eu Inferior seja menos destrutivo em sua vida?

Assuma aqui um compromisso que o ajude a lidar melhor com seu Eu Inferior:

Terceira Semana:
Observe seu Eu Mascarado

Na terceira semana, é a vez do EU MASCARADO.

Procure perceber todas as vezes em que se sente anestesiado, sem vida, chato. Todas as vezes em que concorda com algo apenas para parecer bonzinho, ou quando se mostra agressivo para impor respeito, ou ainda quando se retira do mundo, como se nada pudesse tocar você.

Perceba a falta de entusiasmo, o tédio, a pobreza da vida.

Registre suas impressões.

EU MASCARADO

Em que situações você costuma usar máscaras?

Quando usa máscaras, como você se sente?

Quais são as pessoas com as quais você se sente menos confortável, menos "você"?

Quais são as máscaras que você usa e precisa abandonar?

Anote aqui algumas decisões no sentido de abrir mão de suas máscaras:

Quarta Semana:
Observe seu Eu Superior

E na última semana, observe sua capacidade de unir-se ao EU SUPERIOR. Procure meditar.

Ande pela vida em busca do sagrado que se esconde em cada momento.

Registre todas as vezes em que se sentiu tocado por uma onda de carinho, amor ou compaixão. Traga para a consciência os melhores sentimentos que moram em seu coração, perceba quando você deseja o bem para alguém, anote suas qualidades, se dê conta de que sua vida também possui momentos de alegria, entrega, amor... observe sua capacidade de permitir que a luz flua livre através de você.

EU SUPERIOR

Em que situações seu Eu Superior costuma aparecer?

Quando seu Eu Superior aparece, como você se sente?

Quais são as pessoas que trazem seu Eu Superior à tona?

Quais foram os presentes que seu Eu Superior lhe deu nesta semana?

Como você poderia aproximar-se mais de seu Eu Superior?

Ao final desse exercício, você terá ganho uma percepção muito mais clara da ação do Eu Observador e terá descoberto muitas coisas a seu respeito.

Aos poucos, começará a sentir que os conflitos diminuem, na medida em que sua consciência aumenta, e que você assume seu trabalho de transformar aquilo que separa você da alegria e da paz.

**EI, É PARA OBSERVAR
(E NÃO PARA "URUBUSSERVAR"!)**

UM PEQUENO RESUMO

CARACTERÍSTICAS QUE PODERÃO AJUDÁ-LO A RECONHECER E LIDAR COM OS DIFERENTES EUS DENTRO DE VOCÊ.

Minha intenção agora é criar um pequeno resumo que possa ajudar você a reconhecer seus "Eus" com mais facilidade. Entenda, não é preciso que você sinta TUDO o que descreverei, afinal cada um de nós tem características próprias, diferentes das outras pessoas.

Por exemplo, uma pessoa pode ter uma criança mais tímida e medrosa, enquanto em outra pessoa a criança pode ser mais extrovertida e voluntariosa. Tentarei abranger o máximo de características possíveis para cada Eu, e acredito que isso poderá ajudar você, numa fase inicial.

Vamos lá?

EU CRIANÇA

❤ COMO IDENTIFICAR SUA PRESENÇA? ❤

Quando esse Eu está presente você pode se sentir inseguro, incapaz de lidar com alguma situação, ansioso, medroso, com dificuldade em lidar com figuras de autoridade (podendo se tornar agressivo ou até mesmo "travar"), pode gaguejar, se sentir inadequado, não saber o que falar, achar que as pessoas não gostam de você, se sentir carente, querendo "colo" e carinho, podendo se tornar voluntarioso (quer as coisas do "seu jeito"), teimoso, egoísta, imediatista. Não consegue avaliar as coisas com clareza e quer que os seus desejos sejam realizados "agora". Pode exigir amor e atenção e tem dificuldade em perceber o outro. E criança diz "eu", "eu", "eu"!

Os vícios e compulsões também revelam uma criança desgovernada. Beber demais, comer demais, gastar demais, usar drogas, não ter limites, não medir conseqüências.

A criança também tem um lado positivo, quando você se sente espontâneo, leve, alegre, brincalhão, curioso, aventureiro, quando fantasia, brinca, dança solto, cria, quando se encanta com a beleza da vida, da natureza, quando brinca com um cachorrinho, quando abre seu coração e mostra a estrelinha que mora por lá.

❤ O QUE FAZER COM A CRIANÇA? ❤

PROTEGER E AMAR

A criança em você precisa saber que tem um adulto cuidando dela. Logo, ao perceber que você está com sua Criança à tona, procure acolhê-la, aceitá-la e dar-lhe muito amor. Se ela estiver com medo, insegura, tímida, recolhida, faça-a saber que você está com ela, e que não a abandonará. Se ela estiver sendo voluntariosa, teimosa, ou se metendo em confusões, dê a ela limites. Diga o que pode ou não fazer. Ajude-a a se organizar na vida.

Se ela estiver se sentindo incapaz de enfrentar um desafio, diga a ela que quem vai é você, adulto, e que ela pode ficar tranqüila, pois você é quem assume as responsabilidades.

Se ela estiver triste, sobrecarregada com as exigências da vida, leve-a para passear, para brincar, para praticar esportes, para namorar.

Confie em seu bom senso para lidar com ela. Fale com essa criança dentro de você como você falaria com uma criança de carne e osso. Ouça o que ela tem a dizer e nunca a abandone, ok?

EU INFERIOR

❤ COMO IDENTIFICAR SUA PRESENÇA? ❤

Na presença do Eu Inferior você não vê o lado positivo da vida ou das pessoas. Você se torna desconfiado, cínico, fechado, com sentimentos negativos que podem variar muito. Raiva, ódio, ciúme, inveja, ganância, tentativa de manipular pessoas, de fazer comentários maldosos, vontade de agredir o outro, de fazer o mal ou de vingar-se. Pode ter também sentimentos que se voltam contra você como medo, covardia, auto-agressão, sensação de que a vida não tem nada de bom a lhe oferecer, falta de vontade de viver, tristeza. Aqui também podemos citar uma resistência a caminhar na direção da cura, uma resistência a resolver conflitos (o Eu Inferior sente prazer em nos ver em meio a conflitos!), um não querer aproximar-se de pessoas queridas, como se você não se importasse com ninguém. Você pode se sentir irritado, ser grosseiro, impaciente, crítico, tendo prazer em ferir ou desprezar alguém. Os atos de depredação da natureza também são atos do Eu Inferior, bem como fazer mal a um animal, prejudicar alguém em benefício próprio, etc. Você se sente mau, como se a bondade em você fosse uma invenção, e de alguma forma sente um certo prazer nisso.

❤ O QUE FAZER COM O EU INFERIOR? ❤

ACEITAR E CURAR

O Eu Inferior precisa ter um espaço "dentro de você" para se expressar. Precisa que você reconheça sua existência, ou seja, a existência dentro de você de sentimentos negativos que você preferiria não ter. Essa é a única maneira de evitar que essa energia seja jogada para fora, causando danos ao seu redor.

A partir dessa aceitação, o Eu Inferior precisa ser curado. Precisa do seu amor e compaixão. Precisa receber a luz que vem de seu Eu Superior. Você pode orar por seu Eu Inferior. Quando perceber o mal em você, aceite isso e peça ajuda, peça luz, peça cura.

Além disso, você pode criar canais seguros para que essa energia, que é muito forte, seja canalizada sem causar estragos em sua vida. É de muita ajuda praticar atividades físicas, ou artísticas onde você possa liberar seu Eu Inferior com segurança. Para transformar o Eu Inferior, você precisa ser paciente e persistente, aprendendo a respeitar seus limites.

EU MASCARADO
❤ COMO IDENTIFICAR SUA PRESENÇA? ❤

Esse Eu pode ser reconhecido com facilidade, pois quando usa uma máscara você se sente anestesiado, sem vida, sem vibrar com nada. Na verdade, você "não sente". Nem dor, nem alegria, nem amor, nem nada. Não se sente parte do que está acontecendo ao seu redor, não se sente verdadeiro ao interagir com as pessoas, falta espontaneidade. Sensação de profundo cansaço, tédio, como se nada importasse muito. Parece que as cores foram embora. A vida pode parecer estar correndo bem, talvez nada pareça errado, mas falta "vida". Sensação de distanciamento, como se um vidro invisível o separasse das pessoas e dos eventos cotidianos. O olhar fica longe, distante, a voz sem emoção. Nada parece interessá-lo. Você convive com o sentimento de que está sendo observado e julgado pelas pessoas o tempo todo. Preocupação com o que os outros vão achar do que diz, é e faz. Você pode concordar em fazer coisas que não queira, e acabar sobrecarregado. Dificuldade em dizer Não. Sentimento de vergonha, ou de não ser capaz de fazer o que deveria. Cobra muito de si mesmo, pode ser perfeccionista. Esconde seus verdadeiros sentimentos (às vezes até de você mesmo). Pode ter uma sensação de que não sabe de fato quem é, do que gosta, o que quer.

❤ O QUE FAZER COM O EU MASCARADO? ❤

QUE TAL INCINERAR???

O Eu Mascarado, diferentemente dos outros, não é real. Logo, após identificá-lo, o seu desafio será abrir mão dele. Esse é o único Eu que precisa ser abandonado, pois trata-se de uma ilusão. Precisamos rasgar nossas máscaras e deixar que as pessoas vejam quem realmente somos. Obviamente isso vai acontecendo aos poucos, à medida que vamos nos sentindo seguros em ser quem somos. Nem mais, nem menos. Apenas nós mesmos.

Ao perceber o Eu Mascarado em ação, para se libertar e recuperar a vida, você vai precisar parar de fingir, parar de mentir, parar de tentar agradar, parar de tentar ocultar o que considera feio em você, parar de se esconder, parar de tentar controlar o rumo das coisas, parar de tentar ser perfeito. Terá que admitir que não é tão amoroso, tão poderoso ou tão equilibrado quanto gostaria. Terá que correr o risco de desapontar as pessoas e de que elas não aceitem, ou nem mesmo gostem de você.

Em algumas situações, você talvez continue usando máscaras (é difícil viver em uma sociedade sem usar máscara nenhuma), mas nessas situações você saberá que está representando, e o fará sem se misturar ao papel representado, sem se esquecer de quem é o verdadeiro você.

EU SUPERIOR

❤ COMO IDENTIFICAR SUA PRESENÇA? ❤

Quando em contato com seu Eu Superior você se sente seguro, protegido, em paz. Seu coração torna-se aberto e você é capaz de ter sentimentos amorosos por você mesmo, pelas pessoas, pela natureza. Sente confiança na vida e com capacidade de se entregar às situações do dia-a-dia. Você percebe que existe um sentido maior para cada pequeno evento da vida, não importa o que esteja acontecendo ao seu redor. "Tudo está certo, mesmo que não pareça assim." Otimismo, alegria, você não se apega ao que já foi nem se preocupa com o que virá. Em contato com seu Eu Superior, você também fica mais sensível e intuitivo, aberto para as pessoas, criativo, fluindo no ritmo da vida. Sente-se tranqüilo, nutrido, em paz. Tem hábitos saudáveis e sabe apreciar a simplicidade de cada momento. Seus relacionamentos vão se tornando mais harmoniosos, e quando acontecem conflitos, estes são vistos como oportunidades de aprendizado e crescimento. Aceitação da vida como ela é.

• O QUE FAZER COM O EU SUPERIOR? •

CONVIDE-O PARA FICAR!

O Eu Superior precisa que você crie mais espaço em sua vida para que vocês possam se aproximar. Esses espaços são criados quando você medita, quando contempla a natureza, quando vivencia relacionamentos amorosos, quando faz suas orações, quando busca formas de equilibrar o sistema energético de seu corpo (equilíbrio de chacras, uso de florais, exercícios de respiração, etc.).

O Eu Superior também precisa ser nutrido. Você alimenta seu Eu Superior quando lê livros, vê filmes ou conversa com pessoas que colocam você em contato com sua luz. Você precisa aprender a buscar tudo aquilo que faz você se sentir equilibrado e em paz. Por outro lado, precisa também aprender a se afastar daquilo que agride você, que o desestabiliza, que o faz ter sentimentos mais densos. Afaste-se de leituras, experiências e lugares que o façam se sentir mal.

O Eu Superior precisa que você se torne mais responsável em suas escolhas, com relação à sua energia e mais entregue à sua intuição.

EU OBSERVADOR
❤ COMO IDENTIFICAR SUA PRESENÇA? ❤

Quando conectado ao seu Eu Observador você consegue olhar para si mesmo como se estivesse olhando de fora de você. Consegue olhar e reconhecer os outros Eus. Consegue identificá-los. Não julga, não condena a si mesmo, não se culpa, não se força a mudar, não divide as coisas em certo e errado. Observa com compaixão. Quando em contato com o Eu Observador, você não fica apegado aos outros Eus, e é capaz de mudar de um para outro pelo simples fato de estar tendo consciência deles. O Eu Observador é o que permite que sua consciência se expanda.

Quando o Eu Observador está presente, você é capaz de observar seus pensamentos e sentimentos sem misturar-se a eles. Isso traz uma sensação de paz para você.

❤ O QUE FAZER COM O EU OBSERVADOR? ❤

MÃOS À OBRA... VAMOS TRABALHAR!

O Eu Observador precisa aprender a identificar os outros Eus e assumir a tarefa de escolher a qual deles oferecerá a oportunidade de se manifestar, dependendo do que estiver acontecendo a cada momento. É ele que poderá dizer: "Agora estamos num parque de diversões... Venha, Eu Criança, é sua vez de brincar!"

O Eu Observador precisa de sua atenção, seu empenho, sua persistência nessa observação. Precisa que você fique atento e seja capaz de observar a si mesmo com compaixão, sem se julgar, sem se culpar. Apenas observar.

Você pode tomar nota de suas observações, assim será mais fácil encontrar padrões repetitivos e os pontos a serem transformados. Além disso, é muito mais fácil lembrar daquilo que está escrito!

SESSÃO PIPOCA

PREPARE UMA SESSÃO PIPOCA EM SUA CASA E APRENDA MAIS SOBRE OS SEUS EUS

Existem alguns filmes que abordam deliciosamente o que conversamos neste livro. Então, aí vão algumas sugestões para você continuar trabalhando esses temas:

EU CRIANÇA

Filme "DUAS VIDAS". Estrelado por Bruce Willis, esse delicioso filme aborda com uma boa dose de humor e delicadeza a relação entre o adulto e a Criança Interior. É a história de um homem que vai completar 40 anos, e que um dia recebe a visita de um menino, seu Eu Criança, que o faz reavaliar toda a sua vida. Não perca a cena em que o menino diz ao adulto:

— Você tem 40 anos... não tem mulher... não tem cachorro... e não é piloto de avião?! ... Eu sabia que eu ia ser um fracasso!!!

EU INFERIOR

"O ENCANTADOR DE CAVALOS", com Robert Redford, é um filme sensível que traz a história de um cavalo ferido e extremamente agressivo, que vai aos poucos sendo domado (curado!) pela persistência do encantador de cavalos. Você poderá ter muitas percepções sobre o Eu Inferior. Não faltam no filme uma criança ferida e um homem amoroso, cuja compaixão permite que aconteça a cura e o perdão em muitos níveis. É lindo!

EU MASCARADO

Para ver o quão irritante as máscaras podem ser, você pode assistir "RAZAO E SENSIBILIDADE", prestando atenção no esforço feito pelos personagens para esconder suas verdadeiras emoções e no tanto de confusões que isso é capaz de causar.

EU SUPERIOR

Se você ainda não assistiu "O JARDIM SECRETO", está perdendo um belíssimo filme, no qual uma menina modifica totalmente a vida de várias pessoas, ao descobrir um jardim abandonado e acreditar que seria capaz de transformá-lo em um lugar belo e cheio de vida. Você poderá reconhecer a presença do Eu Superior no clima de magia e encantamento que permeia todo o filme.

EU OBSERVADOR

O filme "COLCHA DE RETALHOS" faz um retrato delicado da vida de várias mulheres. Cada uma delas apresenta sua história, cada história um retalho dessa colcha que vai sendo tecida em conjunto. É uma boa oportunidade para exercitar sua observação e para aquecer seu coração.

MESA REDONDA!

Você também pode assistir ao "MAGICO DE OZ!" Nele você encontrará todo mundo!!! A Criança, o Eu Superior, o Eu Inferior, algumas máscaras...

Divirta-se de montão!

ISTO É PARA VOCÊ!

"No começo as pessoas se recusam a acreditar que uma estranha nova coisa possa ser feita. Então começam a ter esperança de que possa ser feita... e então vêem que pode ser feita – então é feita e todo mundo se pergunta por que isso não foi feito séculos atrás!"

Frances Hodgson Burnett

Acredite em VOCÊ.

Acredite na sua capacidade de acolher e cuidar da sua Criança.

Acredite na sua capacidade de abrir mão das suas máscaras.

Acredite que você será capaz de entregar-se a seu Eu Superior e curar seu Eu Inferior.

Acredite que sua vida possa tornar-se mais leve, gostosa, e que você possa vivê-la com mais Paz, Alegria e com muito Amor.

NAO PENSE.

SIMPLESMENTE ACREDITE!

PRATICA DA ESPIRAL LUMINOSA

Na página 143 você encontrará um espaço reservado para seu Eu Superior.

A idéia é a seguinte: Recorte a página que tem a Espiral e a coloque em sua frente. Feche os olhos e procure perceber seu Eu Superior. Quando se sentir conectado a uma sensação de paz e bem-estar, volte para a página à sua frente e escreva, no espaço em branco, uma mensagem amorosa, positiva. Confie na sua Intuição. Você também pode fazer um desenho, se preferir!

Dobre a folha e então "esqueça-a" em algum lugar público, um lugar onde alguém possa encontrá-la. Pode ser uma mesa de restaurante, um banco de metrô, qualquer lugar! Imagine que você esteja dando um presente luminoso a um desconhecido.

Se você conseguir driblar seu Eu Inferior (que NAO QUER DAR PORCARIA DE PRESENTE PARA NINGUEM!) e sua Máscara (que com certeza vai achar isso RIDÍCULO!), talvez possa se divertir e, com a ajuda da sua Criança, perceber que essa simples folha de papel pode se tornar muito significativa para alguém, pode fazer alguém se sentir melhor, ou no mínimo sorrir por alguns instantes.

Isso já teria valido a pena, não é?

Vamos lá... Liberte-se! Brinque com as possibilidades! Arrisque!

E lembre-se: TUDO o que enviamos na direção do mundo um dia volta na nossa direção!

Patricia Puccini Peres Garcia é escritora e psicoterapeuta, autora de *Palavra de Criança — Coisas que você pode aprender com sua criança interior* e *Falando de Amor — Um caminho para a cura de seus relacionamentos.*

recorte aqui

EI! NADA ACONTECE POR ACASO...

Esta folha caiu em suas mãos, neste momento, para lhe levar uma mensagem. Para ajudar você a acreditar que a vida é sagrada e que você sempre pode se aproximar mais da paz e da alegria que moram dentro de você.

_____

_____

_____

_____

Existe muita luz ao seu redor, neste exato momento.
Confie na Vida. Faça escolhas.
Arrisque acreditar que seus sonhos possam se realizar.

A hora é agora!